500
barbecue

500 barbecue

Paul Kirk

Direction éditoriale : Donna Gregory
Assistant à l'édition : Robert Davies
Maquette : Dean Martin
Direction artistique : Sofia Henry
Photographies : Ian Garlick
Consultante spécialisée : Judith Fertig
Suivi éditorial : Gillian Laskier

Première édition en 2007 par Apple Press,
7 Freeland Street, Londres NW1 0ND
Sous le titre *500 BBQ Bites*

Adaptation et réalisation de l'édition en langue française : Agence Media
Traduction : Delphine Billaut

Les Éditions Publistar
Groupe Librex inc.
Une compagnie de Quebecor Media
La Tourelle
1055, boul. René-Lévesque Est
Bureau 800
Montréal (Québec) H2L 4S5
Tél. : 514 849-5259
Téléc. : 514 849-1388

Dépôt légal – Bibliothèque et Archives nationales du Québec
et Bibliothèque et Archives Canada, 2008

ISBN 978-2-89562-236-9

Imprimé en Chine
en novembre 2009.

Sommaire

Griller et cuire au barbecue

Quelques précisions pour commencer : griller un aliment au barbecue consiste à le cuire directement sur une source de chaleur ; le cuire au barbecue consiste à le cuire au moyen d'une chaleur indirecte, avec un barbecue couvert, ce qui permet à la chaleur de se répartir autour de l'aliment comme dans un four. Les deux termes sont aujourd'hui un peu confondus, et c'est pourquoi la méthode est précisée en cas de cuisson couverte indirecte, qui devient la plus courante.

Choisir son barbecue

Le choix d'un barbecue peut s'avérer difficile étant donné la grande diversité d'appareils regroupés sous ce nom : certains équipements sont si sophistiqués qu'ils représentent de véritables cuisines d'extérieur. Les modèles les plus courants sont décrits ci-dessous pour vous aider dans votre choix.

Le barbecue à charbon de bois est, selon les puristes, le seul digne de ce nom. Le charbon serait l'unique combustible permettant d'obtenir un goût fumé authentique. Alimenter et entretenir un feu constituerait, depuis toujours, la base même d'un repas pris en extérieur. Mais utiliser un barbecue à charbon de bois requiert davantage de savoir-faire que pour un modèle électrique ou à gaz.
Le barbecue à gaz est plus facile à maîtriser qu'un modèle à charbon et plus rapide à mettre en service. La pierre de lave sur laquelle on fait cuire les aliments est chauffée au propane ou au gaz naturel. Ce type de barbecue est idéal quand on fait souvent des grillades.
Le barbecue électrique se décline du petit modèle portatif au grand chariot à roulettes. Il libère une chaleur constante, mais n'atteint pas une température aussi élevée qu'avec un barbecue à charbon de bois. L'appareil doit être disposé près d'une prise électrique ou bien raccordé au moyen d'une rallonge.

Quel est le bon combustible pour un barbecue à charbon de bois?

Le charbon en morceaux produit une chaleur plus intense et plus propre que les briquettes. Il s'allume vite et brûle bien, pendant trois quarts d'heure environ, ce qui est idéal quand on veut cuire des aliments rapidement.

Le charbon en briquettes est fabriqué à partir de particules de charbon compressées et imprégnées de produits chimiques destinés à favoriser l'allumage. Il brûle plus longtemps que le charbon naturel et fournit une chaleur constante.

Le bois peut s'utiliser sous forme de bûches, de gros morceaux ou de copeaux. Évitez les résineux tendres comme le pin. Une poignée de copeaux jetée sur les braises conférera différents parfums à vos grillades : par exemple, le cerisier apportera un goût fumé légèrement sucré, le mesquite un fort parfum de terre et le noyer une saveur plus amère.

L'allumage

Disposez votre barbecue sur un sol plat et stable, à l'écart d'arbres bas. Huilez-le avant utilisation et faites-le toujours préchauffer afin qu'il atteigne la température désirée avant cuisson. Au moment de l'allumage, tenez les enfants et les animaux de compagnie éloignés. N'allumez jamais par grand vent et gardez les allumettes et combustibles à bonne distance du feu. En cas d'embrasement, utilisez un vaporisateur d'eau ou une poignée de bicarbonate de soude pour éteindre les flammes.

Entretenir votre barbecue

Chaque fois que vous préparez votre barbecue à gaz, assurez-vous que tuyaux et brûleurs sont en bon état. Pour un modèle électrique, vérifiez régulièrement les fils. Nettoyez les grilles après utilisation en les grattant à l'éponge métallique. Lorsque les cendres ont refroidi, videz-les et jetez-les dans une poubelle en métal.

Quels sont les meilleurs morceaux pour un barbecue?

Volaille et gibier

Les morceaux les plus juteux, comme les cuisses et les ailes, constituent le meilleur choix. En règle générale, ne faites pas cuire une volaille entière sur un barbecue ouvert à moins de l'ouvrir en deux ou de la découper. Vous pouvez toutefois la rôtir à la broche si vous disposez de l'équipement nécessaire. Piquez toujours la volaille entre la cuisse et la poitrine. Lorsque le jus qui s'écoule est clair, la viande est cuite. Pour ouvrir une volaille, posez-la sur l'arrière et coupez de chaque côté de la colonne vertébrale en retirant complètement cette dernière. Retournez la volaille et aplatissez-la avec la paume de la main. Découpez les deux blancs, cuisses, pilons et ailes.

Agneau

Les côtelettes ou les côtes premières d'agneau, le gigot et le filet sont les morceaux qui se prêtent le mieux à la cuisson au barbecue. Pour préparer les côtelettes, dégraissez-les en ne laissant qu'une fine épaisseur de gras à l'extérieur, qui contribuera à limiter les embrasements. Les brochettes se font avec de l'épaule. Le gigot est plus maigre.

Porc

Le porc a tendance à être moins tendre que le bœuf ou l'agneau. Comme il doit être cuit à point, il présente le risque de sécher, en sorte qu'une marinade sera la bienvenue. Travers, côtelettes et filet conviennent tous au barbecue, de même que la viande hachée. Pour préparer les côtelettes, retirez tout le gras visible en n'en laissant qu'1 cm à l'extérieur. Les travers se prêtent bien à une cuisson longue et lente ; on peut les précuire au four et finir de les griller au barbecue.

Bœuf

Choisissez la meilleure qualité de viande possible. Romsteck, aloyau, filet, T-bone et faux-filet sont les morceaux les plus tendres et à même de supporter une cuisson à température élevée sans durcir. Pour préparer du bœuf, ne laissez qu'1 cm de gras, de façon à minimiser l'embrasement du feu tout en conservant la viande juteuse. Avec la pointe d'un couteau aiguisé, piquez dans le gras restant tout autour du morceau, tous les 2 cm environ, pour éviter qu'il ne s'incurve.

Poisson

Une grande variété de poissons et de fruits de mer se prêtent à la cuisson au barbecue. Les poissons gras tels que le saumon ou le maquereau constituent d'excellents choix. Pour que la chair ne sèche pas, faites d'abord mariner le poisson et huilez-le fréquemment en cours de cuisson. Vous pouvez aussi l'envelopper dans des feuilles de vigne ou de laitue, ou encore dans des tranches de bacon. Il est également possible de le cuire en papillote, dans du papier d'aluminium, mais la chair n'aura pas de goût fumé. Pour confectionner des brochettes, n'utilisez que du poisson à chair ferme, comme la lotte ou le saumon.

Températures

Le temps de cuisson dépend de la température du barbecue et de l'épaisseur de l'aliment. En règle générale, la température est élevée si vous ne pouvez laisser votre main à 15 cm au-dessus du gril que 2 s à peine, ce qui convient pour saisir les aliments. Le feu est à température moyenne à élevée si vous pouvez laisser votre main à la même hauteur pendant 4 s, et à température modérée quand vous pouvez la laisser plus de 6 s.

Temps de cuisson approximatifs

Blanc de poulet désossé de 170 g	7 à 8 min par face
Cuisse de poulet désossée de 170 g	4 à 5 min par face
Pilon de poulet de 220 g	15 à 20 min, en le retournant souvent
Quart de poulet de 220 g	25 à 30 min, en le retournant souvent
Demi-poulet de 750 g	35 à 40 min, en le retournant souvent
Aile de poulet	20 à 25 min, en la retournant souvent
Poitrine de canard désossée	10 min par face
Blanc de dinde	10 à 12 min par face
Darne de poisson de 220 à 250 g	4 à 5 min par face
Petit poisson, jusqu'à 280 g	6 à 7 min par face
Poisson entier de 1,300 kg	12 à 15 min par face
Brochette de poisson en cubes de 2,5 cm	7 à 8 min par face
Grosse crevette non décortiquée	2 à 3 min par face
Courgette ou aubergine en rondelles de 2 cm d'épaisseur	6 à 8 min, en les retournant une fois
Pomme de terre ou patate douce de 140 g	30 min, en les retournant une fois
Demi-tomate	10 à 15 min
Chapeau de champignon	4 min
Oignon entier	45 à 50 min
Côtelette d'agneau de 2,5 cm d'épaisseur	8 à 10 min par face
Filet d'agneau de 170 g	4 à 5 min par face
Tranche de gigot d'agneau de 4 cm d'épaisseur	6 à 7 min par face
Brochette de porc ou d'agneau	10 à 15 min, en la retournant souvent
Côtelette de porc de 2,5 cm d'épaisseur	8 à 10 min par face

Filet de porc de 450 g	25 min, en le retournant souvent
Travers de porc	1 h, en les retournant souvent
Romsteck ou steak d'aloyau, à point ou bien cuit	5 à 6 min par face
Filet de bœuf, à point ou bien cuit	7 à 8 min par face
Steak haché de 2,5 cm d'épaisseur	5 min par face

Le fumage

Le fumage est un procédé qui permet de préparer une viande ou un poisson, après les avoir salés ou marinés, en les exposant à la fumée parfumée d'un bois particulier. Cette méthode servait traditionnellement à conserver des aliments pendant longtemps ; aujourd'hui, on l'utilise surtout pour donner un goût fumé aux aliments. Il est facile de le faire soi-même : vous pouvez réaliser un fumoir à partir de tout barbecue muni d'un couvercle, à condition d'en contrôler la température. En effet, il est important d'ajuster le débit d'air parvenant à la source de chaleur pour réguler la température du feu (avec moins d'oxygène, le feu brûle plus lentement), ainsi que l'air qui s'en échappe pour moduler la quantité de fumée à l'intérieur du fumoir. Le bois est le combustible le plus couramment employé : le parfum de la fumée varie selon les essences – à vous de les tester.

Installer votre fumoir

Il vous faut du charbon pour combustible et des copeaux de bois pour le parfum. On conseille également de disposer un plat (résistant à la chaleur) rempli d'eau à l'intérieur du fumoir, contre les braises, afin d'y maintenir une certaine humidité et, ainsi, éviter que les aliments ne se dessèchent. Si possible, placez les braises incandescentes au-dessus d'une arrivée d'air, de manière à contrôler la chaleur en régulant l'entrée et la sortie d'air. Mettez la viande dans le fumoir puis posez le couvercle, avec les aérations situées à l'opposé des braises. Laissez cuire le temps nécessaire.

Marinades

Lorsque l'on cuisine au barbecue, il est essentiel d'avoir à sa disposition une palette d'assaisonnements à appliquer sur une viande, un poisson ou des légumes quelques heures à l'avance, de façon qu'ils s'imprègnent de leur saveur.

Beurre à l'ail et aux herbes

Essayez-le, simplement fondu, sur un poisson ou des asperges grillés.

200 g (7 oz) de beurre ramolli
6 cl (4 c. à s.) d'huile végétale
6 cl (4 c. à s.) de babeurre (facultatif)
1 c. à s. de feuilles de basilic ciselées
1 c. à s. de feuilles d'origan
12 gousses d'ail écrasées
1 c. à c. de sel
¼ de c. à c. de piment de Cayenne

Mélangez intimement tous les ingrédients. Façonnez de petits rouleaux et emballez-les dans du film alimentaire. Réservez-les au réfrigérateur et découpez-en des rondelles pour parfumer vos grillades. Variez les parfums en ajoutant 200 g de fromage râpé (parmesan, cheddar...) pour un beurre à l'ail et au fromage, ou faites rôtir l'ail 45 min à four chaud avant de peler les gousses et de les incorporer, écrasées, au beurre.

Marinade de base

Frottez-en vos steaks et côtelettes avant de les faire griller.

50 g de sucre en poudre
1 c. à s. de sel
1 c. à s. de sel d'ail
1 c. à s. de sel d'oignon
1 c. à s. de sel de céleri
2 c. à s. de paprika doux
1 c. à s. de piment en poudre
1 c. à s. de poivre noir du moulin
½ c. à c. de gingembre moulu
½ c. à c. de quatre-épices
½ c. à c. de moutarde sèche
¼ de c. à c. de piment de Cayenne

Mélangez intimement tous les ingrédients. Conservez cette marinade dans un récipient hermétique, dans un endroit frais et à l'abri de la lumière. À partir de cette recette, n'hésitez pas à composer vos propres marinades, en veillant à équilibrer le sucre et le sel, à toujours inclure du paprika pour la couleur et à ajouter jusqu'à 1 c. à c. de chacun de vos trois assaisonnements préférés. Pour un goût épicé, ajoutez jusqu'à 1 c. à c. de votre assaisonnement favori à base de piment.

Sauce barbecue à la tomate

Une sauce barbecue repose sur un ingrédient principal (tomate, vinaigre ou moutarde) auquel on ajoute un élément aigre et un élément doux, ainsi que des épices et assaisonnements (au choix). Celle qui est proposée ici est la plus classique. Lorsqu'il est fait mention de sauce barbecue dans les recettes de cet ouvrage, utilisez soit la recette ci-dessous, soit une bonne sauce prête à l'emploi.

50 cl (2 tasses) de ketchup
120 g (½ tasse) de cassonade
6 cl (4 c. à s.) de vinaigre de vin blanc
2 c. à s. de sauce Worcestershire
1 c. à c. de fumée liquide (facultatif)
1 c. à s. de piment en poudre
1 c. à c. de poivre noir fin
2 c. à c. de sel
1 c. à c. de quatre-épices
1 c. à c. d'ail semoule
1 c. à c. de moutarde sèche
¼ de c. à c. de chipotle en poudre

Mélangez tous les ingrédients secs dans une casserole. Versez les ingrédients liquides, à l'exception du ketchup. Mélangez bien et ajoutez le ketchup. Portez doucement à frémissements, puis baissez le feu et laissez mijoter 20 min en remuant de temps en temps (attention, le ketchup, lorsqu'il bout, a tendance à éclabousser). Laissez refroidir. Conservez au réfrigérateur jusqu'à utilisation.

Appétissants amuse-bouches

Le barbecue se prête merveilleusement aux bouchées apéritives, idéales pour mettre en appétit avant le plat principal ! Préparez de petites tentations à offrir à vos invités : que diriez-vous de quesadillas grillées, de brochettes de poulet satay, d'huîtres à l'espagnole ou de roulés asiatiques au bacon ?

Champignons farcis au fromage

Pour 8 personnes

Les champignons farcis sont des amuse-bouches très appréciés. Cette recette savoureuse se prête à toutes les occasions.

24 champignons de taille moyenne
450 g (16 oz) de merguez
220 g (8 oz) de fromage frais
50 g (1 3/4 oz) de cheddar râpé
1 c. à c. de piment rouge séché émietté
2 c. à s. de parmesan fraîchement râpé

Lavez les champignons, retirez les pieds et épongez les chapeaux avec du papier absorbant. Préchauffez le barbecue à 120 °C.

Faites cuire les merguez dans une grande poêle, puis égouttez-les et coupez-les en gros tronçons. Mettez-les dans le mixeur avec le fromage frais, le cheddar et le piment. Mixez finement. À l'aide d'une petite cuillère, farcissez chaque chapeau de champignon avec la préparation. Disposez les champignons farcis dans un plat résistant à la chaleur adapté à la taille de votre barbecue, et saupoudrez-les de parmesan.

Préparez un barbecue couvert pour fumage (voir p. 11) et faites cuire les champignons, couverts, de 30 à 45 min. Retirez-les et laissez refroidir 5 min. Disposez les champignons farcis sur un plat de service et servez chaud.

Voir variantes p. 34

Ailes de poulet grillées

Pour 6 à 8 personnes

Les ailes de poulet grillées au barbecue sont indétrônables et constituent une délicieuse entrée avant le plat principal. Prévoyez large : elles disparaîtront au fur et à mesure que vous les servirez !

2 c. à c. de gros sel
1 c. à c. de poivre noir du moulin
1 c. à c. de paprika
1 c. à c. de piment en poudre
½ c. à c. de graines de céleri moulues
1,3 kg d'ailes de poulet
35 cl (1 ⅔ tasse) de sauce barbecue

Mélangez intimement le gros sel avec toutes les épices. Roulez les ailes de poulet dans ce mélange, en pressant pour le faire adhérer.
Faites-les cuire au barbecue à température moyenne, sur chaleur directe ou indirecte, couvertes. Retournez les ailes toutes les 10 min pendant 30 min à 1 h, selon la température de votre feu.
Disposez les ailes grillées sur un plat de service et servez très chaud, avec la sauce barbecue.

Voir variantes p. 35

Brochettes de crevettes grillées au charbon de bois

Pour 4 personnes

Saisies au barbecue, les crevettes conservent toute leur délicate saveur marine.

900 g de grosses crevettes non décortiquées (entre 20 et 25 pièces)
1 c. à s. d'huile végétale
12 cl (1/2 tasse) de jus de citron vert
3 c. à s. de vin blanc sec ou de vermouth
1 gousse d'ail écrasée
1 c. à s. d'échalotes ou de ciboules (partie blanche seulement) finement hachées
1 c. à c. de sel
1 1/2 c. à c. d'aneth ciselé ou 1/2 c. à c. d'aneth séché
Quelques gouttes de Tabasco

Disposez les crevettes dans un plat peu profond en céramique ou en verre. Mélangez les autres ingrédients et versez la préparation obtenue sur les crevettes. Couvrez de film alimentaire et réservez plusieurs heures au réfrigérateur ou, mieux, toute une nuit. Égouttez les crevettes et réservez la marinade.
Piquez les crevettes sur des brochettes. Préchauffez le barbecue, puis faites griller les crevettes sur des braises bien chaudes, en les retournant et en les badigeonnant de marinade au pinceau, jusqu'à ce qu'elles soient roses et cuites à cœur, soit 4 à 5 min. Servez aussitôt.

Voir variantes p. 36

Huîtres à l'espagnole

Pour 10 personnes

Une sauce épicée relève idéalement ces huîtres cuites dans leur coquille.

20 huîtres dans leur coquille
Pour la sauce
20 g (3/4 oz) de beurre
2 c. à s. d'oignon finement haché
2 c. à s. de farine
12 cl (1/2 tasse) de fumet de poisson
12 cl (1/2 tasse) de bière blonde dégazée
2 c. à c. de Tabasco
2 c. à s. de parmesan fraîchement râpé
Pour la chapelure
30 g (1 oz) de pain rassis finement émietté
30 g (1 oz) de parmesan fraîchement râpé
2 c. à s. de beurre fondu
1 c. à s. de coriandre ciselée
1 c. à c. de Tabasco

Nettoyez, ouvrez et videz les huîtres, puis rincez et séchez leurs coquilles et replacez-les à l'intérieur.
Préparez la sauce. Faites fondre le beurre dans une petite casserole et mettez-y l'oignon à revenir 1 min en remuant. Versez la farine, mélangez, puis ajoutez le fumet de poisson, la bière et le Tabasco. Laissez cuire en remuant jusqu'à ce que la sauce épaississe et commence à bouillir. Retirez du feu et incorporez le parmesan.
Préparez la chapelure en mélangeant tous les ingrédients jusqu'à homogénéité.
Versez 1 c. à s. de sauce sur chaque huître, puis parsemez de 1 c. à c. de chapelure. Tapissez un plat peu profond d'une couche de 1,5 cm de gros sel (ou utilisez du papier d'aluminium froissé pour empêcher les huîtres de se renverser) et ménagez-y des creux dans lesquels vous déposerez les coquilles. Faites griller les huîtres à température moyenne de 8 à 10 min : elles doivent être cuites à cœur.

Voir variantes p. 37

Roulés asiatiques au bacon

Pour 8 personnes

Ces roulés dépaysent les papilles : le fondant des foies de volaille contraste délicieusement avec le croquant des châtaignes d'eau.

220 g (7 3/4 oz) de châtaignes d'eau en conserve égouttées
450 g (16 oz) de fines tranches de bacon coupées en deux
220 g (7 3/4 oz) de foies de volaille coupés en morceaux
Piques à cocktail préalablement trempées dans l'eau
2 c. à s. de sauce soja
50 g de cassonade

Posez une châtaigne d'eau sur une demi-tranche de bacon et surmontez-la d'un morceau de foie de volaille. Roulez délicatement le tout et maintenez en place avec une pique à cocktail, en la vrillant doucement pour ne pas briser les châtaignes.
Répétez l'opération jusqu'à épuisement des ingrédients. Disposez les roulés dans un grand plat résistant à la chaleur, sur une seule couche. Mélangez la sauce soja et la cassonade, puis nappez-en les roulés.
Faites griller les roulés sur chaleur moyenne, couverts, en les retournant de temps en temps. Laissez-les cuire de 8 à 10 min : le bacon doit être doré et croustillant. Servez aussitôt.

Voir variantes p. 38

Boulettes de viande sucrées-épicées

Pour 50 boulettes environ

Ces boulettes de viande très parfumées sont à la fois délicieuses et originales. Si vous les proposez à l'apéritif, présentez-les avec des piques à cocktail. Si vous les servez à table, accompagnez-les de pain pour ne rien perdre de la succulente sauce.

680 g de viande de bœuf hachée
50 g de chapelure
12 cl (1/2 tasse) de lait
1 gros œuf légèrement battu
1 c. à s. de sauce Worcestershire
35 g de parmesan fraîchement râpé
2 c. à c. de sel
1 c. à c. de poivre noir du moulin
1 c. à s. d'ail semoule
1 c. à s. d'oignon semoule
2 c. à c. d'origan séché
2 c. à c. de basilic séché

Pour la sauce

55 cl (2 tasses) de sauce barbecue
20 cl (3/4 tasse) de gelée de framboise
1 c. à c. de piment en poudre

Préchauffez un fumoir ou un barbecue entre 110 et 120 °C. Tapissez une plaque de papier d'aluminium.

Mélangez la viande avec tous les autres ingrédients jusqu'à homogénéité. Façonnez des boulettes de 2,5 cm (1 po) de diamètre de ce mélange et disposez-les sur la plaque en les espaçant. Faites griller au barbecue sur chaleur indirecte de 45 min à 1 h : les boulettes doivent être cuites à cœur.

Préparez la sauce. Dans une casserole, portez à ébullition la sauce barbecue, la gelée et le piment, en mélangeant bien. Nappez-en les boulettes grillées avant de servir.

Voir variantes p. 39

Pizza grillée

Pour 6 à 8 personnes

Pour gagner du temps, vous pouvez employer une pâte à pizza prête à l'emploi, voire utiliser du pain pita ou des galettes de maïs.

1 ½ c. à c. de levure de boulanger en poudre
25 cl (1 tasse) d'eau tiède
½ c. à c. de sucre en poudre
340 g de farine + un peu pour le plan de travail
3 c. à s. d'huile d'olive
4 c. à s. de sauce tomate
170 g de pepperoni ou de salami en rondelles
1 poivron rouge grillé pelé et coupé en lanières
75 g d'olives noires dénoyautées en rondelles
220 g de mozzarella en tranches

Dans une jatte, mélangez la levure avec l'eau tiède et le sucre. Laissez reposer 5 min.
Ajoutez la farine et l'huile puis, sur le plan de travail légèrement fariné, pétrissez la pâte jusqu'à consistance lisse et élastique. Couvrez d'un linge et laissez reposer dans un endroit chaud, à l'abri des courants d'air, jusqu'à ce que la pâte ait doublé de volume.
Huilez une plaque de four. Sur le plan de travail fariné, étalez la pâte au rouleau en un rectangle de même dimension que la plaque et déposez-la dessus.
Étalez la sauce tomate sur la pâte. Disposez dessus les tranches de pepperoni (ou de salami), le poivron rouge, les olives et la mozzarella. Faites cuire la pizza, couverte, sur chaleur indirecte à température élevée, 20 min environ. Posez ensuite la plaque directement sur un brûleur à feu vif pendant 2 min pour rendre la pâte croustillante.

Voir variantes p. 40

Quesadillas grillées

Pour 4 personnes

Ce plat mexicain est traditionnellement accompagné de salsa, de guacamole ou d'un dip aux haricots rouges.

4 galettes de maïs de 25 cm (10 po) de diamètre
120 g de fromage râpé (emmental, cheddar...)
Poivre noir du moulin

Préparez un barbecue au charbon de bois ou préchauffez un barbecue à gaz pour une cuisson directe à puissance moyenne.
Disposez les galettes de maïs sur le plan de travail. Parsemez la moitié de chacune d'elles d'un quart du fromage, puis poivrez. Recouvrez de l'autre moitié. À l'aide d'une large spatule métallique, transférez délicatement les quesadillas sur le barbecue et faites-les griller 5 min environ, en les retournant à mi-cuisson. Coupez chaque quesadilla en 4 triangles au moment de servir.

Voir variantes p. 41

Bruschettas tomate-basilic

Pour 10 à 12 pièces

Ces classiques amuse-bouches italiens sont à la fois simples à préparer et délicieux à déguster !

4 ou 5 tomates mûres pelées et coupées en gros morceaux
5 c. à s. d'huile d'olive
3 c. à s. de vinaigre balsamique
1 pincée de poivre noir du moulin
1 longue baguette ou 1 pain ciabatta coupés en tranches épaisses de 1,5 cm environ
4 gousses d'ail coupées en deux
6 feuilles de basilic ciselées
Parmesan fraîchement râpé (facultatif)

Mettez les tomates à égoutter dans une passoire pendant 20 min. Fouettez l'huile, le vinaigre et le poivre dans un grand saladier. Ajoutez les tomates égouttées et mélangez pour bien les enrober de vinaigrette. Laissez macérer entre 15 et 30 min.
Faites griller les tranches de pain sur les deux faces au gril à température moyenne. Puis frottez chaque tranche avec l'ail coupé. Recouvrez-les d'un peu de la préparation à la tomate et de basilic. Servez les bruschettas telles quelles ou, si vous le désirez, parsemez-les d'un peu de parmesan et remettez-les à griller, couvertes, jusqu'à ce que le fromage ait fondu.

Voir variantes p. 42

Brochettes de poulet satay

Pour 36 brochettes

Ce classique de la cuisine thaïe rencontre toujours un vif succès.

450 g de blancs de poulet, sans la peau
36 brochettes en bambou préalablement trempées dans l'eau
Pour la marinade
5 c. à s. de sauce soja
2 c. à s. de jus de citron vert
2 gousses d'ail écrasées
2 c. à c. de racine de gingembre râpée
1 c. à c. de piment rouge séché émietté
Pour la sauce à la cacahouète
20 cl (3/4 tasse) de lait de coco non sucré
1 c. à s. de beurre de cacahouètes sans morceaux
4 ciboules coupées en rondelles de 2,5 cm

Coupez le poulet en lanières de 5 mm (1/4 po) de largeur et disposez-les dans un plat peu profond. Préparez la marinade. Dans une jatte, mélangez tous les ingrédients jusqu'à homogénéité. Réservez 3 c. à s. du mélange, couvrez et placez au réfrigérateur. Ajoutez 2 c. à s. d'eau
au mélange restant, versez le tout sur le poulet et mélangez bien. Couvrez et laissez mariner au réfrigérateur entre 30 min et 2 h, en remuant de temps en temps. Préchauffez le gril à température moyenne. Pendant ce temps, préparez la sauce à la cacahouète. Mélangez le lait de coco, la marinade réservée et le beurre de cacahouètes dans une petite casserole. Portez à ébullition à feu moyen, sans cesser de remuer. Baissez le feu et laissez frémir 2 à 4 min, jusqu'à ce que la sauce ait épaissi. Gardez au chaud. Égouttez le poulet et piquez 3 ou 4 lanières sur chaque brochette, en accordéon, en alternant avec des rondelles de ciboule. Faites griller les brochettes sur le gril non couvert pendant 6 à 8 min, en les retournant à mi-cuisson. Servez avec la sauce à la cacahouète.

Voir variantes p. 43

Artichauts marinés grillés

Pour 8 personnes

La cuisson au gril convient particulièrement bien aux artichauts, qui conservent ainsi toute leur fermeté. Une marinade simple met en valeur leur saveur unique.

4 gros artichauts
Pour la marinade
4 c. à s. de vinaigre balsamique
4 c. à s. de sauce soja
1 c. à s. de racine de gingembre râpée
4 c. à s. d'huile d'olive

Coupez les tiges des artichauts de façon à ne laisser que 5 cm (2 po) de longueur environ. Coupez également le bout pointu de chaque feuille. Faites cuire les artichauts à l'eau ou à la vapeur jusqu'à pouvoir facilement percer la base ou retirer les feuilles. Égouttez-les et laissez-les refroidir. Fendez-les en deux dans la longueur, retirez le foin situé au centre et supprimez les éventuelles feuilles à pointe violette.
Préparez la marinade. Dans un saladier, mélangez tous les ingrédients jusqu'à homogénéité. Ajoutez les artichauts et retournez-les dans la marinade pour bien les enrober. Couvrez et laissez macérer au réfrigérateur au moins 1 h, au mieux toute une nuit.
Égouttez les artichauts en conservant la marinade. Disposez-les, face coupée dessous, sur une grille placée sur chaleur moyenne. Faites-les griller 5 à 7 min, jusqu'à ce que le dessous soit légèrement doré. Retournez-les et arrosez-les avec un peu de marinade. Laissez encore griller 3 à 4 min. Servez chaud ou tiède.

Voir variantes p. 44

Piments jalapeños au bacon

Pour 25 pièces

Ces piments farcis se préparent volontiers à l'avance, car vous pouvez les conserver au réfrigérateur ou au congélateur avant de les cuire. Pour les amateurs de saveurs fortes, n'hésitez pas à augmenter les quantités !

25 piments jalapeños (piments mexicains)
450 g de fromage frais
220 g de fromage râpé (cheddar, parmesan...)
900 g de bacon en tranches
50 g de cassonade
Piques à cocktail préalablement trempées dans l'eau

Lavez et épongez les piments. Coupez l'extrémité, côté pédoncule, et retirez délicatement les membranes et les graines, en veillant à ne pas percer la peau.
Mélangez les deux fromages jusqu'à consistance lisse. À l'aide d'une poche à douille, farcissez-en les piments. Coupez les tranches de bacon en deux et saupoudrez-les de cassonade. Enroulez le bacon autour des piments, en recouvrant l'ouverture, et maintenez le tout avec une pique à cocktail.
Disposez les piments à la verticale dans un moule à bords hauts, de manière que le fromage ne coule pas. Préchauffez un fumoir ou un barbecue entre 110 et 120 °C et faites cuire les piments 1 h environ.

Voir variantes p. 45

Variantes

Champignons farcis au fromage

Recette de base p. 15

Champignons farcis au crabe
Remplacez la farce. Faites revenir 2 gousses d'ail écrasées et 4 ciboules émincées dans 20 g de beurre. Ôtez du feu et incorporez 75 g de chair de crabe égouttée et émiettée et 50 g de chapelure. Laissez refroidir et ajoutez 140 g de châtaignes d'eau hachées et 12 cl (½ tasse) de mayonnaise. Salez et poivrez à votre goût.

Champignons farcis au bleu et aux épinards
Remplacez la farce. Faites revenir 2 gousses d'ail et 250 g d'épinards hachés surgelés, décongelés et égouttés, dans 50 g de beurre doux. Ôtez du feu et incorporez 220 g de bleu émietté. Salez et poivrez à votre goût. Laissez refroidir avant d'en farcir les champignons.

Champignons farcis au bacon et aux olives
Remplacez la farce. Mélangez 120 g de parmesan fraîchement râpé, 50 g d'olives hachées, 2 c. à s. de sauce Worcestershire et 14 fines tranches de bacon grillées et émincées.

Champignons farcis au poivron rouge grillé
Remplacez la farce. Mélangez 220 g de fromage frais, 50 g de poivron rouge grillé et émincé, 2 c. à s. de parmesan fraîchement râpé, 2 gousses d'ail écrasées et ½ c. à c. de piment en poudre.

Variantes

Ailes de poulet grillées

Recette de base p. 16

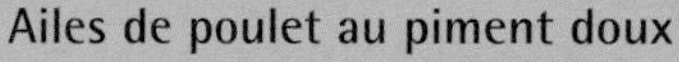

Ailes de poulet au piment doux

Remplacez la sauce barbecue par une sauce au piment doux : mélangez 4 c. à s. de sauce pimentée douce, 60 g de beurre fondu, 1 c. à s. de sauce Worcestershire et 1 c. à c. de jus de citron.

Ailes de poulet tex-mex

Supprimez les graines de céleri dans l'assaisonnement. Remplacez la sauce barbecue par une sauce tex-mex épicée : mélangez ½ c. à c. d'ail semoule, ½ c. à c. d'oignon semoule, ½ c. à c. de cumin, ½ c. à c. de coriandre, ½ c. à c. de piment de Cayenne, 1 c. à c. de fumée liquide de mesquite (facultatif), 4 c. à s. de ketchup, 4 c. à s. de vinaigre de cidre, 4 c. à s. de miel et 4 c. à s. de cassonade.

Ailes de poulet teriyaki

Remplacez le paprika, le piment et les graines de céleri de l'assaisonnement par 2 c. à c. de gingembre en poudre et 2 c. à c. d'ail semoule. Remplacez la sauce barbecue par de la sauce teriyaki.

Ailes de poulet épicées ail-miel

Supprimez le piment en poudre, les graines de céleri et la sauce barbecue. Ajoutez 1 c. à c. de gingembre en poudre et 1 c. à c. d'ail semoule. Pour la sauce, mélangez 20 cl (¾ tasse) de miel liquide, 10 cl (⅓ tasse) de sirop de canne, 8 gousses d'ail écrasées et 1 c. à c. de piment rouge séché émietté. Faites chauffer le tout à feu doux, puis nappez-en les ailes grillées.

Variantes

Brochettes de crevettes grillées au charbon de bois

Recette de base p. 19

Brochettes de crevettes margarita

Remplacez la marinade par celle-ci : mélangez 12 cl (1/2 tasse) de tequila, 4 c. à s. de jus d'orange, 2 c. à s. d'huile végétale et 12 cl (1/2 tasse) de jus de citron vert. Montez les brochettes en alternant les crevettes avec 3 piments rouges frais coupés en rondelles de 1,5 cm et 1 gros poivron rouge coupé en dés de 1,5 cm.

Brochettes de crevettes grillées épicées

Remplacez la marinade par celle-ci : mélangez 2 c. à s. d'huile d'olive, 2 c. à s. d'ail haché, 2 c. à s. de sauce Worcestershire, 2 c. à s. de jus de citron, 6 c. à s. de beurre fondu, 2 c. à s. de piment en poudre, 2 c. à s. de poivre noir du moulin et 1 c. à c. de sel.

Brochettes de crevettes grillées au miel

Ne faites pas mariner les crevettes mais, pendant que les brochettes grillent, badigeonnez-les de ce mélange : 12 cl (1/2 tasse) de miel liquide, 12 cl (1/2 tasse) de jus de citron vert, le zeste de 1 citron vert, 1 c. à c. de sel et 1 c. à c. de poivre blanc.

Brochettes de crevettes grillées piquantes

Remplacez la marinade par celle-ci : mélangez 20 cl (3/4 tasse) de jus d'ananas, 4 c. à s. de jus de citron, 4 c. à s. d'huile végétale, 1 c. à s. de sauce soja, 1 c. à c. de sauce pimentée douce, 1 c. à c. de graines de céleri et 1 c. à c. de sel.

Variantes

Huîtres à l'espagnole

Recette de base p. 20

Huîtres pimentées

Supprimez la chapelure. Remplacez la sauce par celle-ci : faites revenir ½ petit oignon haché avec 40 g de beurre, 12 cl (½ tasse) de sauce pimentée douce, 1 c. à s. de miel liquide, 1 c. à s. de sauce Worcestershire et 6 gouttes de Tabasco. Laissez refroidir avant d'en garnir les huîtres.

Huîtres aux herbes fumées au noyer

Remplacez la sauce par celle-ci : faites revenir 2 belles gousses d'ail écrasées avec 80 g de beurre, 4 c. à s. de xérès sec, 2 c. à c. de basilic séché et 25 g de noix finement hachées. Laissez refroidir avant d'en garnir les huîtres. Remplacez la chapelure par un filet de jus de citron et parsemez de parmesan fraîchement râpé. Utilisez un sac de copeaux de noyer pour les griller.

Huîtres au beurre d'ail épicé

Supprimez la chapelure. Garnissez les huîtres avec le mélange suivant : 240 g de beurre, 2 c. à s. de persil plat ciselé, 1 c. à s. de jus de citron, 1 c. à s. d'ail haché, 1 c. à c. de zeste de citron (non traité) râpé et 1 c. à c. de sauce pimentée douce.

Huîtres dans leur coquille

Supprimez la chapelure et la sauce. N'ouvrez pas les huîtres. Nettoyez-les et faites-les cuire jusqu'à ce qu'elles s'ouvrent. Accompagnez-les de Tabasco ou d'une sauce cocktail.

Variantes

Roulés asiatiques au bacon

Recette de base p. 23

Roulés au bacon et aux châtaignes d'eau
Suivez la recette de base en supprimant les foies de volaille, la sauce soja et la cassonade. Mélangez dans une casserole 50 cl (2 tasses) de ketchup et 2 c. à s. de sauce Worcestershire. Laissez frémir à feu doux, puis nappez-en les châtaignes d'eau grillées.

Roulés au bacon et à l'ananas
Suivez la recette de base, mais supprimez les foies de volaille, la sauce soja et la cassonade, et remplacez les châtaignes d'eau par 40 g d'ananas en morceaux en conserve égoutté.

Roulés au bacon et aux dattes
Suivez la recette de base, mais supprimez les foies de volaille, la sauce soja et la cassonade, et remplacez les châtaignes d'eau par 60 dattes (environ) dénoyautées.

Roulés au bacon et aux crevettes
Suivez la recette de base, mais supprimez les foies de volaille, la sauce soja et la cassonade, et remplacez les châtaignes d'eau par 450 g de crevettes moyennes (environ 45 pièces) décortiquées et déveinées, puis assaisonnées avec 2 c. à c. d'ail semoule et 2 c. à c. de sel.

Variantes

Boulettes de viande sucrées-épicées

Recette de base p. 24

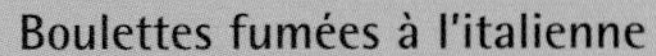

Boulettes fumées à l'italienne

Remplacez le parmesan par de la mozzarella et la gelée de framboise par de la sauce tomate italienne (20 cl [3/4 tasse] également).

Boulettes grillées teriyaki

Supprimez le parmesan, l'origan et le basilic. Remplacez la sauce barbecue et la gelée de framboise par de la sauce teriyaki et 1 ou 2 pincées de gingembre en poudre.

Boulettes cocktail fumées

Supprimez l'ail, l'oignon, l'origan et le basilic, et remplacez-les par 3 sachets de 25 g de soupe à l'oignon déshydratée. Remplacez la sauce par un mélange de 50 cl (2 tasses) de ketchup, 220 g de cassonade et 4 c. à s. de sauce Worcestershire, que vous ferez chauffer 5 min à feu doux.

Boulettes fumées à la gelée de groseille

Supprimez l'ail, l'oignon, l'origan et le basilic. Remplacez la sauce par un mélange de 35 cl (1/3 tasse) de sauce pimentée douce, autant de gelée de groseille et 1 c. à s. de moutarde de Dijon, que vous ferez chauffer 5 min à feu doux.

Variantes

Pizza grillée

Recette de base p. 26

Pizza italienne au fromage de chèvre
Remplacez la mozzarella et le pepperoni (ou le salami) par du fromage de chèvre en bûche, des oignons caramélisés (2 petits oignons revenus dans 20 g de beurre et 1 c. à c. de sucre en poudre) et 5 c. à s. de basilic ciselé.

Pizza italienne à la saucisse et au bacon
Ajoutez 120 g de saucisse italienne cuite et émincée, et 4 fines tranches de bacon également émincées.

Pizza au poulet rôti
Remplacez la sauce tomate par 15 cl (10 c. à s.) de sauce barbecue. À la place du pepperoni, mettez 220 g de blanc de poulet rôti coupé en dés, 50 g d'oignon haché et 120 g de champignons émincés en conserve égouttés.

Pizza bacon-laitue-tomate
Supprimez la sauce tomate, le pepperoni, le poivron et les olives. Sur la pâte à pizza, étalez 120 g de caviar de tomates et disposez 8 tranches de bacon cuites et coupées en quatre. Après cuisson, garnissez avec une poignée de feuilles de laitue romaine.

Variantes

Quesadillas grillées

Recette de base p. 27

Quesadillas grillées au piment
En plus des ingrédients indiqués, ajoutez 12 cl (½ tasse) de crème aigre, 4 ciboules finement émincées, 1 tomate bien mûre pelée, épépinée et coupée en dés, 1 ou 2 piments jalapeños épépinés et émincés, 4 c. à s. de coriandre ciselée.

Quesadillas grillées au poulet
Supprimez le fromage. Ajoutez 280 g de poulet rôti ou cuit coupé en dés, 1 oignon rouge moyen émincé, 120 g de parmesan fraîchement râpé, 4 c. à s. de coriandre ciselée et 1 piment jalapeño émincé.

Quesadillas grillées au jambon
Ajoutez 350 g de jambon haché, 4 c. à s. de ciboules finement émincées, 15 cl (⅔ tasse) de sauce barbecue, 1 c. à s. de vinaigre de cidre et 2 c. à c. de marinade de base (voir recette p. 12).

Quesadillas au steak
Ajoutez 200 g de steak grillé mariné (voir recette p. 12), que vous émincerez finement, et une salsa pimentée aux tomates fraîches maison.

Variantes

Bruschettas tomate-basilic

Recette de base p. 29

Bruschettas au fromage de chèvre
Supprimez la tomate, le basilic et le parmesan. Sur les tranches de pain grillées et frottées d'ail, étalez 120 g de fromage de chèvre frais (cabécou, ricotta...). Garnissez de 4 ciboules finement émincées et poivrez.

Bruschettas à la mozzarella
Supprimez la tomate, le basilic et le parmesan. Sur les tranches de pain grillées et frottées d'ail, étalez le mélange suivant : 1 oignon moyen haché, 1 gousse d'ail hachée, ½ c. à c. d'origan séché et ½ c. à c. de basilic. Garnissez de 220 g de mozzarella coupée en tranches. Salez selon votre goût.

Bruschettas aux poivrons grillés
Supprimez la tomate, le basilic et le parmesan. Sur les tranches de pain grillées et frottées d'ail, étalez le mélange suivant : 2 poivrons rouges moyens grillés et coupés en dés, 2 gousses d'ail hachées, 2 filets d'anchois coupés en morceaux, 1 c. à s. de persil plat ciselé. Salez et poivrez selon votre goût.

Bruschettas aux crevettes
Supprimez la tomate, le basilic et le parmesan. Sur les tranches de pain grillées et frottées d'ail, étalez le mélange suivant : 225 g de crevettes cuites, 2 c. à s. d'huile d'olive, 1 c. à s. de vinaigre balsamique, 1 c. à s. de jus de citron, ¼ de c. à c. d'ail semoule et ¼ de c. à c. de poivre noir.

Variantes

Brochettes de poulet satay

Recette de base p. 30

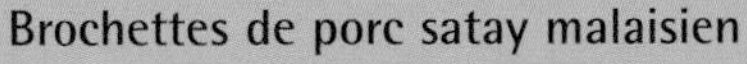

Brochettes de porc satay malaisien
Utilisez 450 g de filet de porc. Pour la marinade, remplacez la sauce soja, le jus de citron vert, le piment et l'eau par 4 échalotes hachées, 1 c. à c. de coriandre moulue, 1 c. à c. de cumin, 1 c. à c. de sel, 1 c. à s. de curcuma, 1 c. à s. de sucre en poudre et 1 c. à s. d'huile végétale.

Brochettes de poulet satay malaisien
Pour la marinade, remplacez la sauce soja, le jus de citron vert, le gingembre et le piment par 6 échalotes hachées, 4 c. à s. d'huile végétale, 4 c. à s. de Kecap Manis (sauce soja indonésienne), 2 c. à s. de citronnelle émincée, 2 c. à s. de sauce d'huître, 2 c. à c. de curcuma, 1 c. à c. de coriandre moulue et 1 c. à c. de piment en poudre.

Brochettes de crevettes satay
Utilisez 450 g de crevettes. Pour la marinade, remplacez la sauce soja, le jus de citron vert, le gingembre, le piment et l'eau par 1 c. à c. de poudre de curry thaïe, 1 c. à s. de sucre de palme (ou de cassonade), 1 c. à s. de sauce soja, 1 c. à s. de poivre blanc, 1 c. à s. de sauce pimentée thaïe et 1 c. à s. de sauce d'huître.

Brochettes d'agneau satay
Utilisez 450 g de gigot d'agneau désossé. Pour la marinade, remplacez la sauce soja, le jus de citron vert, le gingembre, le piment et l'eau par 1 échalote hachée, 2 gousses d'ail écrasées, 2 c. à s. de Kecap Manis, 2 c. à s. de jus de citron jaune, 1 c. à s. de sucre en poudre et 1 c. à c. de pâte de tamarin diluée dans 1 c. à s. d'eau chaude. Salez et poivrez selon votre goût.

Variantes

Artichauts marinés grillés

Recette de base p. 32

Artichauts grillés au citron sauce au yaourt
Remplacez la marinade par celle-ci : mélangez 15 cl (10 c. à s.) d'huile d'olive, le jus de 2 citrons, 1 c. à s. d'ail écrasé, 1 c. à s. de persil plat ciselé, du sel et du poivre. Et servez avec une sauce au yaourt : 200 g de yaourt à la grecque, 1 c. à s. de jus de citron, du sel et du poivre.

Brochettes aux artichauts
Remplacez la marinade par celle-ci : mélangez 2 c. à s. de jus de citron, ½ c. à c. de thym séché, du sel et du poivre. Piquez les feuilles d'artichaut sur des petites brochettes en bambou préalablement trempées dans l'eau. Servez avec une mayonnaise ou une sauce de votre choix.

Artichauts marinés à l'ail
Remplacez la marinade par celle-ci : mélangez le zeste râpé de 2 citrons (non traités), 60 g de beurre fondu, 2 c. à s. de vin blanc sec, 2 c. à s. de jus de citron, 2 c. à c. de sel d'ail et du poivre noir du moulin. Servez avec de l'aïoli.

Artichauts aux agrumes
Remplacez la marinade par celle-ci : mélangez 12 cl de bouillon de volaille, 3 c. à s. de beurre fondu, 2 c. à s. d'huile de noix, 3 c. à s. d'huile d'olive, 3 c. à s. de persil plat ciselé, 1 c. à s. de jus de citron, 1 c. à s. de jus d'orange, 1 c. à s. de zeste de citron (non traité), 1 c. à s. de zeste d'orange (non traitée), 1 c. à s. d'ail écrasé, du sel et du poivre.

Variantes

Piments jalapeños au bacon

Recette de base p. 33

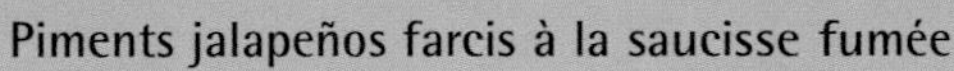

Piments jalapeños farcis à la saucisse fumée
Supprimez le fromage râpé et la cassonade. Ajoutez 50 g de saucisse fumée cuite et hachée, 4 ciboules finement émincées, 1 belle gousse d'ail écrasée et 1 c. à s. de persil plat ciselé.

Piments jalapeños farcis au jambon
Supprimez les deux fromages et la cassonade. Ajoutez 175 g de jambon haché, 120 g de provolone piquant râpé, 1 c. à s. de vinaigre de cidre et 2 c. à c. de marinade de base (voir recette p. 12).

Piments jalapeños farcis à la saucisse et au piment
Supprimez les deux fromages et la cassonade. Ajoutez 450 g de saucisse de porc cuite et hachée, 1 c. à c. de piment rouge séché émietté et 1 c. à s. de sel d'ail.

Piments jalapeños farcis au crabe
Supprimez le bacon, les deux fromages et la cassonade. Ajoutez 450 g de chair de crabe émiettée, 2 c. à s. de poivron rouge haché, 2 c. à s. d'oignon haché, 1 belle gousse d'ail écrasée, 1 c. à s. de moutarde de Dijon, du sel et du poivre.

Piments jalapeños farcis à la ciboule
Supprimez le fromage râpé et le bacon. Ajoutez 50 g de ciboules hachées pour réaliser une farce au fromage frais et à la ciboule.

Délices de poissons et de fruits de mer

Rien de plus simple à préparer au barbecue que du poisson ou des fruits de mer : il suffit de les faire mariner et de les saisir au gril pour se régaler.

Saumon fumé à la cassonade

Pour 6 personnes

Cette méthode de fumage rapide met en valeur la délicate saveur des filets de saumon.

225 g de cassonade + 120 g pour saupoudrer
1 c. à s. de mélange cajun
1 c. à s. de gros sel
1 c. à c. de poivre noir du moulin
6 filets de saumon de 170 à 220 g chacun, avec la peau
6 c. à s. de moutarde de Dijon

Mettez la cassonade, le mélange cajun, le gros sel et le poivre dans une assiette creuse. Mélangez.
Rincez les filets de saumon sous l'eau froide et épongez-les dans du papier absorbant.
Passez chaque filet dans le mélange de cassonade des deux côtés, en pressant bien pour le faire adhérer. Disposez les filets dans un plat en verre, couvrez de film alimentaire et laissez mariner au moins 2 h au réfrigérateur.
Préchauffez le barbecue à 110 °C (230 °F). À l'aide d'un pinceau, badigeonnez le dessus de chaque filet de moutarde. Placez-les dans le fumoir sur une feuille de papier d'aluminium et saupoudrez-les du reste de cassonade. Laissez cuire 35 à 40 min. Servez aussitôt.

Voir variantes p. 68

Saumon grillé aux fines herbes et au citron

Pour 6 à 8 personnes

Une marinade relevée d'ail et de fines herbes se marie parfaitement avec de riches darnes de saumon.

4 c. à s. de vinaigre balsamique
4 c. à s. d'huile d'olive
4 c. à s. de jus de citron
1 belle gousse d'ail écrasée
1 c. à s. de basilic séché
1 c. à c. de thym séché
½ c. à c. de romarin séché
Sel et poivre noir du moulin
4 darnes de saumon de 2,5 cm d'épaisseur

Dans un grand saladier, mélangez tous les ingrédients à l'exception du saumon. Déposez les darnes dans la marinade et retournez-les pour bien les enrober. Couvrez de film alimentaire et laissez mariner au réfrigérateur au moins 2 h, en retournant le poisson au bout de 1 h. Préparez le barbecue à température moyenne à élevée. Sortez les darnes de la marinade et faites-les griller entre 10 et 15 min, en les retournant à mi-cuisson : la chair du poisson doit s'effeuiller facilement. Servez aussitôt.

Voir variantes p. 69

Truites grillées épicées

Pour 4 personnes

Pour cette recette, vous pouvez utiliser de la truite ou tout autre poisson gras de rivière.

4 truites de 450 g environ chacune
4 c. à s. de jus de citron
2 c. à s. de beurre fondu
2 c. à s. d'huile végétale
2 c. à s. de persil plat ciselé
2 c. à s. de graines de sésame
1 c. à s. de sauce pimentée
1 c. à c. de racine de gingembre râpée
1 c. à c. de sel

Avec les dents d'une fourchette, piquez la peau des truites de part en part.
Dans un plat peu profond, mélangez le reste des ingrédients jusqu'à homogénéité.
Déposez les truites dans la marinade et retournez-les pour bien les enrober. Couvrez de film alimentaire et laissez mariner au réfrigérateur de 30 min à 1 h, en retournant le poisson de temps en temps.
Sortez le poisson de la marinade et réservez cette dernière. Placez les truites dans une grille double et badigeonnez-les au pinceau avec la marinade réservée.
Préparez le barbecue à température moyenne. Faites-y griller les truites 10 min, en les retournant à mi-cuisson : la chair du poisson doit s'effeuiller facilement.
Servez sans attendre.

Voir variantes p. 70

Tilapia grillé

Pour 4 personnes

Le tilapia, originaire d'Afrique, a récemment gagné les assiettes du monde entier et conquis de nombreux cuisiniers pour sa chair tendre et fine.

20 cl (3/4 tasse) de mayonnaise
1 c. à c. de sauce brune
1 c. à c. de jus de citron vert + 1 c. à c. de zeste râpé
2 c. à s. de parmesan fraîchement râpé
1/2 c. à c. d'aneth ciselé
4 grands filets de tilapia

Dans une jatte, mélangez tous les ingrédients à l'exception du poisson. Recouvrez-en généreusement les deux faces des filets.
Préparez le barbecue à température moyenne. Faites-y griller les filets de 3 à 5 min sur chaque face : la chair du poisson doit s'effeuiller facilement. Servez sans attendre.

Voir variantes p. 71

Espadon grillé à la salsa d'agrumes

Pour 4 personnes

Une salsa colorée d'inspiration mexicaine accompagne idéalement ces darnes d'espadon.

25 cl de sauce tomate avec morceaux
1 c. à c. de zeste d'orange râpé
2 c. à s. de jus d'orange
1 c. à s. de coriandre ciselée
1 grosse orange pelée et hachée
1 tomate moyenne coupée en dés
2 ciboules finement émincées
4 darnes d'espadon de 2,5 cm (1 po) d'épaisseur

Mélangez la sauce tomate, le zeste et le jus d'orange, ainsi que la coriandre. Réservez 10 cl (1/3 tasse) de cette préparation.

Préparez la salsa d'agrumes : ajoutez l'orange hachée, la tomate et les ciboules au reste de mélange.

Préparez le barbecue à température moyenne. Faites griller les darnes sur chaleur moyenne pendant 10 min ou jusqu'à ce qu'elles soient cuites, en les retournant une fois et en les badigeonnant souvent de préparation réservée. Servez les darnes d'espadon accompagnées de la salsa d'agrumes.

Voir variantes p. 72

Flétan grillé à l'ananas

Pour 4 personnes

La perfection du mariage de saveurs que forment le poisson et les agrumes se trouve une nouvelle fois confirmée ici.

1 c. à s. de zeste de citron vert râpé
2 c. à s. de jus de citron vert
2 c. à s. de cassonade
2 c. à s. de racine de gingembre râpée
1 c. à c. de sel de mer
1/4 de c. à c. de piment doux en poudre
4 filets de flétan de 175 g
1/2 ananas moyen, épluché et coupé dans la longueur en tranches de 1,5 cm d'épaisseur

Préparez le barbecue. Mettez le zeste et le jus de citron vert, 1 c. à s. de cassonade, 1 c. à s. de gingembre, le sel et le piment en poudre dans un sachet en plastique refermable, puis secouez pour mélanger. Ajoutez le poisson, puis refermez le sachet et secouez à nouveau. Posez le sachet sur une assiette et laissez mariner 20 min à température ambiante, en le retournant une fois.
Pendant ce temps, mettez le reste de cassonade et de gingembre dans un second sachet avec l'ananas. Laissez mariner 5 min, sortez l'ananas et versez le jus dans le sachet contenant le poisson.
Sur le barbecue, faites cuire l'ananas à cœur en le retournant une fois. Disposez-le sur un plat de service et recouvrez-le de papier d'aluminium pour le maintenir au chaud.
Sortez le poisson de la marinade et faites-le cuire à cœur sur chaleur directe, 3 à 4 min par face. Servez bien chaud, avec l'ananas.

Voir variantes p. 73

Requin grillé à mourir de plaisir

Pour 6 personnes

Le requin est délicieux et largement répandu, mais des darnes d'espadon ou même de thon se prêtent aussi bien à cette recette.

12 cl (½ tasse) de sauce soja
12 cl (½ tasse) de jus d'orange
6 cl de ketchup
4 c. à s. de persil ciselé
2 c. à s. de jus de citron
1 c. à c. de poivre noir du moulin
2 grosses gousses d'ail écrasées
6 darnes de requin de 175 g chacune

Dans un saladier, mélangez la sauce soja, le jus d'orange, le ketchup, le persil ciselé, le jus de citron, le poivre et l'ail. Réservez 6 cl (4 c. à s.) de cette préparation. Mettez le poisson dans le saladier, couvrez et laissez mariner 2 h au réfrigérateur.
Préparez le barbecue. Sortez le poisson de la marinade. Faites-le cuire à température élevée, en le badigeonnant souvent de marinade réservée, 6 min sur chaque face ou jusqu'à ce que la chair s'émiette facilement à la fourchette.

Voir variantes p. 74

Vivaneau rouge grillé à la mexicaine

Pour 4 à 6 personnes

La pâte d'achiote est un ingrédient mexicain traditionnel à la saveur salée et épicée. Elle est en vente dans les épiceries spécialisées, mais vous pouvez la préparer vous-même (voir ci-dessous).

120 g de pâte d'achiote
12 cl (1/2 tasse) de jus d'orange
3 c. à s. de jus de citron
3 c. à s. de jus de citron vert
Le zeste râpé de 1 citron et de 1 citron vert
1 vivaneau entier et vidé (environ 900 g)
Salsa chaude à la tomate

Mélangez la pâte d'achiote avec les jus et les zestes d'agrumes, puis répartissez cette préparation sur les deux faces du vivaneau. Laissez mariner entre 30 min et 1 h au réfrigérateur.
Placez le poisson sur le barbecue préchauffé à température moyenne, peau au-dessous. Retournez-le au bout de 5 min et poursuivez la cuisson 3 min. Quand le poisson est cuit, vous devez pouvoir retirer facilement l'arête centrale. Servez avec la salsa chaude.

Pâte d'achiote : mélangez 2 c. à s. de graines de rocou moulues ou de paprika, 1 c. à s. d'huile d'olive, 1 c. à s. de piment en poudre, 2 c. à s. d'ail frais écrasé, 1 c. à c. de quatre-épices, 1/2 c. à c. de cannelle en poudre, 2 c. à c. de miel liquide, 2 c. à c. d'origan séché et 1 c. à c. de sel. Ajoutez 4 c. à s. de jus d'orange et remuant pour obtenir une pâte lisse.

Voir variantes p. 75

Thon grillé aux agrumes

Pour 4 personnes

Les darnes de thon peuvent durcir si elles ne sont pas cuites correctement. Attendrissez-les d'abord dans du jus d'agrumes, puis faites-les cuire brièvement pour leur conserver tout leur moelleux.

25 cl (1 tasse) de jus d'orange
25 cl (1 tasse) de jus de pamplemousse
4 c. à s. de jus de citron vert
12 cl (½ tasse) de xérès sec
1 c. à c. de thym séché
¼ de c. à c. de poivre de Cayenne
¼ de c. à c. de sel de mer
4 grosses darnes de thon
1 c. à s. de paprika

Mélanqez les jus de fruits, le xérès, le thym, le poivre de Cayenne et le sel dans un plat peu profond. Déposez-y les darnes et laissez-les mariner entre 30 min et 1 h au réfrigérateur. Sortez le poisson de la marinade et jetez cette dernière. Posez les darnes sur le barbecue préchauffé à température élevée et saupoudrez-les de paprika.
Retournez-les au bout de 3 à 5 min, et poursuivez la cuisson de 3 à 5 min – ou un peu plus si vous aimez le poisson bien cuit.

Voir variantes p. 76

Crevettes à la bière et aux herbes

Pour 8 personnes

Il est conseillé de servir avec ces savoureuses crevettes une bière brune, qui soulignera la saveur fumée de la marinade.

900 g de crevettes décortiquées et déveinées
33 (1 1/3 tasse) cl de bière brune
2 gousses d'ail écrasées
2 c. à s. de ciboulette ciselée
2 c. à s. de persil ciselé
1,5 c. à c. de sel de mer
1/2 c. à c. de poivre noir du moulin
2 ciboules finement émincées

Mélangez tous les ingrédients dans un saladier, à l'exception de la laitue et des ciboules. Couvrez et laissez mariner entre 3 et 4 h au réfrigérateur, en mélangeant de temps en temps. Égouttez.

Préparez le barbecue à température moyenne à élevée. Mettez les crevettes dans une poêle à fond épais ou dans un wok, et placez celui-ci sur le gril. Faites-les cuire jusqu'à ce qu'elles deviennent roses et tendres, 2 min environ sur chaque face, moins si elles sont petites. Ne les faites pas trop cuire, car elles auraient tendance à durcir. Parsemez les crevettes de ciboules émincées et servez.

Voir variantes p. 77

Saint-jacques grillées au citron

Pour 4 personnes

Retirez le corail des coquilles Saint-Jacques avant de confectionner ce plat, mais ne le jetez pas : revenu dans du beurre avec de l'ail, il constitue une délicieuse entrée.

25 cl (1 tasse) d'eau
25 cl (1 tasse) de vin blanc sec
4 c. à s. de jus de citron
1 c. à s. de beurre doux
1 c. à s. de miel liquide
1 pincée de sel de mer
1 gousse d'ail écrasée
2 c. à c. de fécule de maïs dissoute dans 2 c. à s. d'eau
12 saint-jacques coupées en deux dans l'épaisseur
Beurre fondu

Mettez l'eau, le vin, le jus de citron, le beurre, le miel, le sel et l'ail dans une petite casserole. Portez à ébullition sur feu moyen et laissez bouillir jusqu'à ce que le mélange ait presque réduit de moitié, en mélangeant souvent. Ajoutez suffisamment de fécule de maïs diluée pour épaissir la sauce. Retirez du feu et gardez au chaud.
Faites griller les saint-jacques à température élevée environ 3 min sur chaque face, en les badigeonnant de beurre fondu. Ne les faites pas trop cuire, sous peine de les voir durcir. Retirez-les du gril. Disposez 6 moitiés de saint-jacques sur chaque assiette. Versez la sauce au citron dessus et servez.

Voir variantes p. 78

Poisson-chat grillé

Pour 6 personnes

Le poisson-chat doit son nom à ses «moustaches». Il est beaucoup plus fin que son nom ne le laisse penser. Les gastronomes le plébiscitent de l'Amérique à l'Indonésie. Vous pouvez le remplacer par de l'églefin si vous préférez.

6 filets de poisson-chat de 175 g chacun
1 c. à s. de sel d'ail
1 c. à c. de poivre blanc
2 à 3 c. à s. d'huile d'olive vierge extra

Préparez le barbecue. Saupoudrez les filets de sel d'ail et de poivre, puis passez-les dans l'huile d'olive.
Faites-les griller sur feu vif jusqu'à ce qu'ils s'émiettent facilement, 4 à 6 min par face. Retournez-les avec beaucoup de précaution, car le poisson-chat est très fragile ; une double grille refermable vous facilitera la tâche. Servez le poisson accompagné de salsa, de sauce tartare ou de moutarde aux herbes.

Voir variantes p. 79

Variantes

Saumon fumé à la cassonade

Recette de base p. 47

Saumon fumé au citron et au basilic
Remplacez la marinade à la cassonade par 25 cl (1 tasse) de yaourt au citron et 5 c. à s. de feuilles de basilic ciselées. Laissez mariner 2 h et faites cuire selon la recette de base.

Saumon fumé à la mayonnaise et à l'aneth
Remplacez la marinade à la cassonade par 25 cl (1 tasse) de mayonnaise et 1 c. à s. d'aneth séché. Laissez mariner 2 h et faites cuire selon la recette de base.

Saumon fumé au sirop d'érable
Supprimez la marinade à la cassonade. Faites griller le saumon selon la recette de base et servez-le avec la sauce suivante : mélangez 220 g de beurre doux à température ambiante et 25 cl (1 tasse) de sirop d'érable.

Saumon fumé au wasabi
Remplacez la marinade à la cassonade par 12 cl (½ tasse) de mayonnaise, 3 c. à s. de sauce teriyaki, 1 c. à c. de pâte wasabi (ou de raifort si vous préférez), du sel et du poivre. Laissez mariner 2 h et faites cuire selon la recette de base.

Saumon fumé au genièvre et à la cassonade
Suivez la recette de base, en ajoutant 2 c. à c. de baies de genièvre concassées à la marinade à la cassonade.

Variantes

Saumon grillé aux fines herbes et au citron

Recette de base p. 48

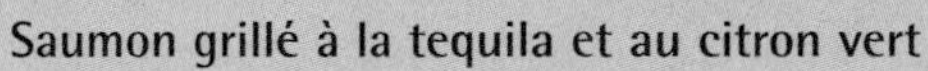

Saumon grillé à la tequila et au citron vert

Remplacez la marinade par le mélange suivant : 12 cl (½ tasse) de tequila, 4 grosses gousses d'ail écrasées, 6 cl (4 c. à s.) de jus de citron vert, 6 cl (4 c. à s.) de triple sec, 6 cl (4 c. à s.) d'huile d'olive vierge extra et 6 cl de coriandre ciselée.

Saumon grillé teriyaki

Remplacez la marinade par le mélange suivant : 12 cl (½ tasse) de sauce soja, 12 cl (½ tasse) de xérès doux ou de mirin, 5 c. à s. de sucre, 1 c. à c. de gingembre en poudre et 1 c. à c. d'ail semoule.

Saumon grillé en marinade moutarde-marmelade

Remplacez la marinade par un mélange de marmelade et de moutarde : dans une casserole, faites chauffer à feu doux 12 cl (½ tasse) de marmelade d'oranges, 1 c. à c. de moutarde de Dijon, ½ c. à c. d'ail semoule et ½ c. à c. de gingembre en poudre. Laissez refroidir, puis mettez-y le saumon à mariner et faites-le griller selon la recette de base.

Saumon mariné au hoisin

Remplacez la marinade par une marinade composée de 6 cl (4 c. à s.) de sauce hoisin, 2 c. à s. de miel liquide, 2 c. à s. de jus d'orange et ¼ de c. à c. de piment doux en poudre.

Variantes

Truites grillées épicées

Recette de base p. 51

Truites grillées cajun et salsa à la pomme
Supprimez la marinade. Saupoudrez les truites de mélange cajun avant de les faire cuire au barbecue et servez avec une salsa à la pomme. Garnissez de fines herbes fraîches et de quartiers de citron.

Truites grillées au sésame
Remplacez la marinade par le mélange suivant : 6 cl (4 c. à s.) de jus de citron, 2 c. à s. de beurre doux, 3 c. à s. de persil ciselé, 2 c. à s. de graines de sésame grillées, 1 c. à s. de Tabasco et du sel de mer.

Truites grillées aux épices
Remplacez la marinade par une pâte aux saveurs asiatiques : mélangez 2 c. à s. de jus de citron, 1 c. à s. de cumin grillé en poudre, 1 c. à s. de piment en poudre, 1 c. à s. d'huile végétale, 1 c. à c. de garam masala, du sel de mer et du poivre du moulin. Étalez cette pâte sur les truites avant de les cuire au gril.

Truites grillées laquées à la thaïe
Remplacez la marinade par un laquage à la thaïe : mélangez 6 c. à s. de sauce hoisin, 3 c. à s. de miel liquide, 3 échalotes hachées, 2 c. à s. de vinaigre de riz, 1 c. à s. de sauce de poisson thaïe, 1 c. à s. de sauce soja brune, 1 c. à s. de racine de gingembre râpée, 2 grosses gousses d'ail écrasées et 1/4 de c. à c. de cinq-épices chinois. Laquez les deux faces des truites avant de les faire cuire.

Variantes

Tilapia grillé

Recette de base p. 52

Tilapia grillé aux épinards et aux tomates cerises

Préparez la recette de base. Confectionnez une garniture de légumes : faites revenir 1 ciboule finement émincée et 450 g d'épinards frais. Lorsque ces derniers ont fondu, ajoutez 250 g de tomates cerises coupées en deux et mélangez. Servez avec le poisson.

Tilapia à l'africaine

Remplacez la marinade par une version africaine : mélangez 25 cl(1 tasse) d'huile d'olive, 1 oignon haché, 1 poivron rouge haché, le jus et le zeste de 1 citron, 1 c. à s. de vinaigre, 2 c. à c. de poivre de Cayenne ou de piment en poudre et 1 c. à c. de sel de mer. Laissez mariner 2 h, égouttez puis faites griller selon la recette de base.

Tilapia épicé à l'aïoli

Supprimez la marinade. Frottez le poisson avec un mélange composé de 1 c. à c. d'ail semoule, 1 c. à c. d'oignon semoule, 1 c. à c. de cumin en poudre grillé et 2 c. à s. de piment en poudre. Préparez un aïoli en fouettant 30 cl (1 1/4 tasse) de mayonnaise, 6 gousses d'ail écrasées, 1/2 c. à s. de jus de citron, 1 1/2 c. à s. de moutarde de Dijon et 3/4 de c. à c. d'estragon séché. Faites griller selon la recette de base.

Tilapia au citron vert et au basilic

Supprimez la marinade. Faites mariner le poisson 2 h dans le mélange suivant : 6 cl (4 c. à s.) d'huile d'olive, les jus et zestes de 2 citrons verts, 1 c. à s. de basilic ciselé, 2 c. à c. de bourbon, 1 c. à c. de sel de mer et du poivre noir du moulin. Faites griller selon la recette de base.

Variantes

Espadon grillé à la salsa d'agrumes

Recette de base p. 54

Espadon grillé à la salsa de tomates fraîches et d'herbes
Remplacez la salsa d'agrumes par une salsa à la tomate : mélangez 4 grosses olivettes pelées, épépinées et coupées en dés, 4 c. à s. de basilic ciselé, 2 c. à s. de marjolaine ciselée, 1 échalote hachée, 1 c. à c. de poivre noir du moulin et du sel.

Espadon grillé au poivron rouge
Supprimez la préparation et la salsa d'agrumes. Faites mariner l'espadon 2 h dans un mélange composé de 2 c. à c. de jus de citron et 25 cl (1 tasse) d'huile d'olive. Faites griller selon la recette de base. Servez avec 4 poivrons rouges pelés, épépinés, coupés en lanières et grillés, mélangés avec 1 c. à s. de persil ciselé, du sel et du poivre.

Espadon grillé au gingembre
Supprimez la préparation et la salsa d'agrumes. Faites mariner l'espadon 2 h dans un mélange composé de 12 cl (½ tasse) d'huile d'olive, 3 c. à s. de sauce soja, 3 c. à s. de xérès sec et 1 c. à s. de racine de gingembre râpée. Sortez-le de la marinade et faites-le cuire selon la recette de base, en le badigeonnant de marinade.

Espadon grillé à la dijonnaise
Supprimez la préparation et la salsa d'agrumes. Faites mariner l'espadon 2 h dans un mélange composé de 2 c. à s. de moutarde de Dijon, 2 c. à s. d'huile d'olive, 1 c. à s. de beurre fondu et 1 c. à s. de vinaigre de vin blanc. Sortez-le de la marinade et faites-le cuire selon la recette de base, en le badigeonnant de marinade. Servez avec de la sauce tartare.

Variantes

Flétan grillé à l'ananas

Recette de base p. 55

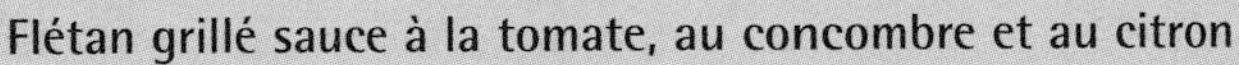

Flétan grillé sauce à la tomate, au concombre et au citron

Supprimez la marinade au citron et l'ananas. À la place, fouettez 1 c. à c. de zeste de citron râpé, 1 ½ c. à s. de jus de citron, ½ c. à c. d'origan séché et 6 cl (4 c. à s.) d'huile d'olive. Ajoutez 200 g de tomates cerises et 120 g de concombre épépinés et coupés en rondelles fines. Versez cette sauce sur le flétan avant de servir.

Flétan grillé au beurre d'ail

Supprimez la marinade au citron et l'ananas. Assaisonnez le poisson avec le mélange suivant : ½ c. à c. d'ail semoule, ½ c. à c. de paprika, ½ c. à c. d'oignon semoule, ½ c. à c. de poivre au citron et ½ c. à c. de sel. Mélangez 3 c. à s. de beurre fondu, 1 ½ c. à s. d'huile d'olive, 1 c. à s. de persil ciselé et 2 gousses d'ail écrasées. Badigeonnez-en le poisson avant de le faire griller.

Flétan grillé à la chinoise

Supprimez la marinade au citron et l'ananas. Laissez le flétan mariner 2 h dans le mélange suivant : 1 c. à s. de racine de gingembre râpée, 3 ciboules hachées, 2 c. à s. de sauce soja légère, 2 c. à s. de saké chinois ou de xérès sec, 1 c. à s. de sauce soja et 1 c. à s. d'huile de sésame. Garnissez de 2 c. à s. de coriandre ciselée.

Flétan grillé au bleu

Supprimez la marinade au citron et l'ananas. Laissez le flétan mariner 20 min dans le mélange suivant : 125 g de bleu, 45 cl (1 ¾ tasse) de babeurre et 35 cl (1 ⅓ tasse) de mayonnaise, allongé avec un peu d'eau (réservez-en comme sauce). Garnissez d'un oignon rouge émincé grillé.

Variantes

Requin grillé à mourir de plaisir

Recette de base p. 57

Requin grillé anticucho

Remplacez la marinade par le mélange suivant : 12 cl (½ tasse) de sauce soja, 2 piments jalapeños au vinaigre, 2 c. à s. de coriandre ciselée, 2 c. à s. de persil ciselé, 6 cl (4 c. à s.) de jus de citron vert, 6 cl (4 c. à s.) d'huile végétale et 1 c. à c. de grains de poivre noir concassés. Suivez la recette de base. Garnissez les darnes grillées de quartiers de citron vert, de tranches d'avocat et d'une salsa épicée à la tomate.

Requin grillé teriyaki

Remplacez la marinade par le mélange suivant : 5 c. à s. de jus de citron vert, 6 cl (4 c. à s.) de sauce teriyaki, 2 c. à s. d'huile d'olive, 1 c. à s. de cassonade, ½ c. à c. de poivre noir grossièrement moulu et ½ c. à c. de paprika.

Requin grillé à l'asiatique

Remplacez la marinade par le mélange suivant : 2 c. à s. de sauce soja, 3 c. à s. de jus de citron, 2 c. à s. d'huile d'olive, 1 c. à s. d'huile de sésame, 1 c. à s. de moutarde et 1 c. à c. de sucre.

Requin grillé aux herbes

Supprimez la marinade. Frottez les darnes avec 6 gousses d'ail écrasées. Mélangez 2 c. à s. de jus de citron, 1 c. à s. d'origan ciselé, 1 c. à s. de persil ciselé, 1 c. à c. d'aneth ciselé, du sel et du poivre. Laissez mariner le poisson frotté d'ail pendant 2 h, puis faites-le griller selon la recette de base.

Variantes

Vivaneau rouge grillé à la mexicaine

Recette de base p. 58

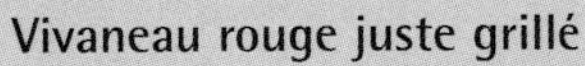

Vivaneau rouge juste grillé
Remplacez la marinade par le mélange suivant : 4 c. à s. de sauce soja, 2 c. à c. de jus de citron vert, 1 c. à s. de poivre au citron, 2 c. à c. d'ail semoule et 1 c. à c. de sel de mer.

Vivaneau grillé au beurre d'échalotes
Remplacez le poisson entier par 900 g de filets, avec la peau. Remplacez la marinade par le mélange suivant : 2 c. à s. d'huile d'olive, du sel de mer selon votre goût, 1/2 c. à c. de zeste de citron, le jus de 1/2 citron, 2 c. à s. de beurre fondu, 1 c. à c. d'estragon séché, 1 c. à s. de vinaigre balsamique, 1 grosse échalote hachée, du poivre noir concassé et 1 gousse d'ail écrasée. Faites griller selon la recette de base.

Vivaneau rouge grillé à la sauce soja et à l'avocat
Remplacez le poisson entier par 900 g de filets. Faites-les mariner dans le mélange suivant : 4 c. à s. de jus de citron, 1 c. à s. de racine de gingembre râpée et 1 échalote hachée. Faites griller selon la recette de base. Préparez la sauce : mélangez 1 c. à s. de miel de trèfle, 1 c. à s. de sauce soja, 4 c. à s. d'eau et 1 c. à s. de tahina. Garnissez d'un avocat coupé en dés.

Vivaneau grillé à la relish rouge croustillante
Préparez la recette de base. Servez le poisson grillé avec une relish : faites revenir 2 poivrons rouges et 1 oignon coupés en dés avec 2 gousses d'ail écrasées dans 120 g de beurre doux. Ajoutez 50 g de noix de pécan grillées hachées, 200 g d'olivettes épépinées et en dés, 6 cl (4 c. à s.) de sauce tomate pimentée, 4 c. à s. de basilic ciselé et 1 c. à s. de vinaigre de vin rouge.

Variantes

Thon grillé aux agrumes

Recette de base p. 61

Thon grillé au wasabi
Supprimez la marinade. Faites griller le thon selon la recette de base. Servez avec la sauce suivante : faites cuire 2 échalotes hachées dans 25 cl (1 tasse) de vin blanc additionné de 2 c. à s. de vinaigre de vin blanc. Laissez réduire jusqu'à ce qu'il reste 6 cl (4 c. à s.). Égouttez les échalotes. Ajoutez 1 c. à s. de pâte de wasabi et 1 c. à s. de sauce soja. Mélangez avec 220 g de beurre fondu, 8 c. à s. de coriandre ciselée et 8 c. à s. de persil.

Thon grillé à la sauce aux anchois
Supprimez la marinade. Faites griller le thon selon la recette de base. Servez avec une sauce aux anchois : faites chauffer à feu doux 50 g d'anchois en conserve égouttés, 10 olives noires dénoyautées et hachées, 2 gousses d'ail écrasées, 6 cl (4 c. à s.) de vin blanc ou de bouillon de volaille, 2 c. à s. de persil ciselé, 2 c. à s. de jus de citron et 2 c. à s. de câpres égouttées.

Thon grillé aux trois poivres
Badigeonnez le thon d'une marinade au poivre. Passez-le dans l'huile d'olive puis roulez-le dans une préparation composée de 1 c. à s. de grains de poivre trois couleurs concassés, 1 c. à s. de sel de mer et 1 c. à s. de zeste de citron râpé. Faites-le griller selon la recette de base.

Thon grillé aux graines de moutarde
Remplacez la marinade par celle-ci : mélangez 6 cl (4 c. à s.) d'huile d'olive, 2 c. à s. de jus de citron vert et 1 c. à s. de moutarde de Dijon. Remplacez le paprika par 2 c. à s. de coriandre séchée, 1 c. à s. de piment en poudre, 1 c. à c. de poivre noir concassé et 1 c. à c. de graines de moutarde.

Variantes

Crevettes à la bière et aux herbes

Recette de base p. 62

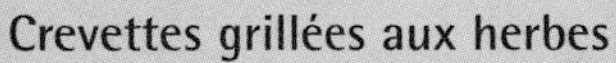

Crevettes grillées aux herbes

Remplacez la marinade par le mélange suivant : 6 cl (4 c. à s.) de vinaigrette italienne, 6 cl (4 c. à s.) d'huile d'olive, 4 gousses d'ail écrasées, 1 c. à s. de basilic ciselé, 1 c. à s. de thym séché et de la sauce pimentée selon votre goût.

Crevettes grillées à la primavera

Faites griller les crevettes selon la recette de base, sans les faire mariner au préalable. Servez avec un mélange de légumes grillés (champignons de Paris, poivrons et oignons par exemple) et des linguine à la sauce tomate : pour la sauce, faites chauffer 2 boîtes de 400 g de tomates, 2 c. à s. de beurre doux, le jus de ½ citron, 1 c. à s. de feuilles de basilic, ¼ de c. à c. de poivre noir moulu, ¼ de c. à c. de piment en poudre et ¼ de c. à c. de marjolaine séchée.

Crevettes grillées tout simplement

Faites griller les crevettes selon la recette de base, sans les faire mariner au préalable. Arrosez les crevettes cuites d'un mélange composé de 120 g de beurre fondu, 3 c. à s. de jus de citron, 2 c. à s. de sauce Worcestershire, 1 c. à s. de Tabasco et ¼ de c. à c. de poivre de Cayenne.

Crevettes grillées cajun au poivre

Remplacez la marinade par le mélange suivant : 220 g de beurre fondu, 1 gousse d'ail écrasée, ½ c. à c. de feuilles de laurier moulues, ½ c. à c. de romarin séché, ½ c. à c. de basilic, ½ c. à c. d'origan, ½ c. à c. de sel, ½ c. à c. de poivre de Cayenne, ½ c. à c. de noix muscade râpée et ½ c. à c. de paprika. Ajoutez 1 c. à s. de poivre noir du moulin et 2 c. à s. de jus de citron.

Variantes

Saint-jacques grillées au citron

Recette de base p. 65

Brochettes de saint-jacques grillées

Supprimez la marinade au citron. Enfilez les moitiés de saint-jacques crues sur des piques en bambou imbibées d'eau, en alternance avec des morceaux de poivrons rouge et vert et des petits oignons entiers. Avant de les faire griller, roulez les brochettes dans un mélange composé de 1 c. à c. de fines herbes, 1 c. à c. de poivre au citron, ½ c. à c. d'ail semoule, ¼ de c. à c. de sel de mer et 2 c. à s. d'huile d'olive vierge extra.

Saint-jacques grillées au romarin

Remplacez la marinade au citron par une version au romarin. Mélangez 2 c. à s. d'huile d'olive, 1 c. à c. de romarin ciselé, 2 gousses d'ail écrasées, du sel et du poivre noir. Faites griller les saint-jacques marinées sur un lit de branches de romarin. Garnissez de quartiers de citron.

Saint-jacques grillées au jambon et au basilic

Remplacez la marinade au citron par celle-ci : faites revenir 1 piment épépiné coupé en gros morceaux et 1 gousse d'ail écrasée dans 2 c. à s. d'huile d'olive et le jus de 3 citrons verts. Enfilez les saint-jacques marinées sur des piques à brochettes imbibées d'eau, en alternance avec des feuilles de basilic et des lanières de jambon.

Saint-jacques à la caribéenne

Remplacez la marinade au citron par une marinade sèche : mélangez 2 c. à s. d'oignon semoule, 1 c. à c. de moutarde sèche, ¼ de c. à c. d'ail semoule, 6 cl (4 c. à s.) d'huile d'olive, ½ c. à c. de quatre-épices, ½ c. à c. de cannelle, ½ c. à c. de piment, du sel et du poivre.

Variantes

Poisson-chat grillé

Recette de base p. 66

Poisson-chat grillé à la créole

Faites griller le poisson-chat selon la recette de base, en omettant tous les autres ingrédients. Préparez une sauce qui accompagnera les filets cuits : mélangez 8 c. à s. de beurre fondu, 1 grosse gousse d'ail écrasée, 6 cl (4 c. à s.) d'huile d'olive, le jus de 1 citron, 1 c. à s. d'assaisonnement créole, 1 c. à c. de poivre blanc et une autre de poivre au citron.

Poisson-chat fumé grillé

De la recette de base, ne conservez que le poisson-chat. Faites-le mariner 2 h dans 5 c. à s. de sauce soja, 3 c. à s. d'huile végétale, 1 gousse d'ail écrasée et 1 c. à c. de racine de gingembre râpée. Faites-le griller de la même façon.

Poisson-chat grillé mariné

De la recette de base, ne conservez que le poisson-chat. Faites-le mariner 2 h dans 2 c. à s. d'huile d'olive, 1 c. à s. de vinaigre de vin rouge, 1 c. à s. d'oignon râpé, ½ c. à c. de sel de mer, ¼ de c. à c. de poivre noir finement moulu et 4 c. à s. d'huile végétale. Faites-le griller de la même façon.

Poisson-chat sauce barbecue

De la recette de base, ne conservez que le poisson-chat. Faites-le mariner dans 5 c. à s. d'huile d'olive vierge extra, 2 c. à c. de sauce Worcestershire, 1 c. à c. d'ail semoule, 1 c. à c. de sel de céleri et un trait de Tabasco. Faites-le griller de la même façon et servez avec de la sauce barbecue.

Irremplaçable volaille

Une volaille à la chair tendre et à la peau croustillante : c'est un des plus grands plaisirs que peut offrir le barbecue ! Le poulet, qui se prête à de multiples découpes, se taille la part du lion dans les recettes qui suivent.

Poulet entier à la sauce barbecue

Pour 6 personnes

Un poulet entier bien dodu (fermier de préférence) atteint la perfection cuit sur le gril.

1 poulet entier de 1,6 à 2 kg
Pour la marinade liquide
25 cl (1 tasse) de vinaigrette italienne
6 cl (4 c. à s.) de vinaigre de cidre
1 c. à c. d'ail semoule
1 c. à c. de sel de mer
½ c. à c. de piment en poudre
Pour la marinade sèche
2 c. à s. de sucre en poudre
2 c. à s. de cassonade
2 c. à s. de sel aux épices
1 c. à s. de sel d'ail
1 c. à s. de sel de céleri
2 c. à s. de paprika
2 c. à c. de piment en poudre
1 c. à s. de poivre noir fin
1 c. à c. de quatre-épices
½ c. à c. de basilic séché
¼ de c. à c. d'estragon séché
¼ de c. à c. de piment doux en poudre
Pour le laquage
50 cl (2 tasses) de sauce barbecue

Videz le poulet. Rincez-le à l'intérieur et à l'extérieur, séchez-le avec du papier absorbant. Mélangez les ingrédients de la marinade liquide. Mettez le poulet dans un sachet en plastique refermable avec la marinade et secouez pour l'enrober. Laissez mariner 4 h au réfrigérateur.
Pendant ce temps, mélangez les ingrédients de la marinade sèche. Réservez.
Sortez le poulet de la marinade liquide. Essuyez le surplus à l'aide de papier absorbant et assaisonnez-le à l'intérieur et à l'extérieur avec la marinade sèche. Faites-le cuire sur chaleur indirecte entre 110 et 120 °C (230-250 °F) pendant 3 à 5 h selon sa taille. Laquez avec la sauce barbecue pendant la dernière demi-heure de cuisson.

Voir variantes p. 102

Poulet aux herbes cuit à la canette de bière

Pour 4 personnes

Le poulet cuit à la vapeur d'une canette de bière s'imprègne d'un parfum exquis.

Pour la marinade sèche
2 c. à s. de sucre en poudre
2 c. à s. de sel d'ail
1 c. à s. de paprika
1 c. à c. de thym séché
1 c. à c. de poivre noir moulu
1 c. à c. de zeste de citron râpé
1/4 de c. à c. de romarin séché
1 poulet entier de 1,8 à 2,3 kg
1 canette de bière de 33 cl (1 3/8 tasse) à température ambiante
1 gousse d'ail écrasée
1 brin de romarin ciselé
1 c. à c. de thym séché

Mélangez tous les ingrédients de la marinade sèche dans un bol et réservez. Videz le poulet. Assaisonnez l'intérieur et l'extérieur avec la marinade.
Ouvrez la canette de bière et jetez-en la moitié. Insérez l'ail, le romarin et le thym dans la canette. Percez deux trous dans le couvercle et emboîtez le poulet dessus.
Préchauffez le gril. Placez le poulet sur la grille, en équilibre sur la canette de bière et les pilons. Faites-le cuire sur chaleur indirecte à température moyenne pendant 2 h 30 à 3 h 30, ou jusqu'à ce que la température à l'intérieur de la cuisse atteigne 75 à 82 °C (165-180 °F). Après avoir enfilé des gants de cuisine, retirez le poulet et la canette du gril en veillant à ne pas renverser la bière, qui est bouillante. Laissez reposer le poulet 10 min avant de le soulever, puis jetez la canette. Découpez le poulet et servez chaud.

Voir variantes p. 103

Cuisses de poulet farcies pommes-raisin

Pour 4 personnes

Farcir des cuisses de poulet est une opération très simple qui permet à la viande de conserver toute sa tendreté et lui confère une saveur fruitée.

2 c. à s. de raisins secs ou de pruneaux
1 c. à s. de rhum brun
1 pomme ferme
1 c. à s. d'huile d'olive
1 oignon haché
2 c. à c. de sucre en poudre
½ c. à c. de cannelle en poudre
¼ de c. à c. de quatre-épices en poudre
50 g de miettes de pain complet fraîches
8 cuisses de poulet désossées
6 cl (4 c. à s.) de jus de pomme

Mettez les raisins secs ou les pruneaux dans un bol avec le rhum. Laissez macérer 20 min. Pelez, épépinez et hachez la pomme. Chauffez l'huile d'olive dans une poêle antiadhésive. Faites-y revenir l'oignon et la pomme à couvert 5 min sur feu moyen, en remuant. Mélangez le sucre, la cannelle et le quatre-épices, saupoudrez-en la préparation précédente. Ajoutez les miettes de pain et le contenu du bol. Remplissez les cuisses de poulet de cette farce, en les maintenant fermées avec des piques à cocktail.
Préparez un gril à température moyenne. Si vous utilisez un barbecue à charbon de bois, jetez-y quelques morceaux de pommier. Huilez les grilles. Badigeonnez les cuisses de poulet de jus de pomme et placez-les sur la grille, peau dessous. Faites-les rôtir de 6 à 8 min, jusqu'à ce qu'elles dorent. Retournez-les, badigeonnez-les de jus de pomme et prolongez la cuisson 6 min ou jusqu'à ce qu'elles soient cuites. Ajustez le temps de cuisson à leur taille.

Voir variantes p. 104

Poulets de Cornouailles rôtis

Pour 4 personnes

Le poulet de Cornouailles étant de petite taille, comptez une volaille par convive.

3 c. à s. d'huile d'olive
2 c. à c. de piment en poudre
2 c. à s. de thym ciselé
2 c. à s. d'oignon semoule
1 c. à c. d'ail semoule
1 c. à s. de sel de mer
½ c. à c. de poivre noir du moulin
4 poulets de Cornouailles ou 4 coquelets coupés en deux dans la longueur

Mélangez l'huile et les éléments de l'assaisonnement dans un bol jusqu'à obtenir une pâte. Badigeonnez-en les poulets et laissez mariner 30 min à température ambiante. Préchauffez le barbecue à température moyenne. Faites griller les poulets jusqu'à ce qu'ils soient cuits à cœur et qu'un jus clair s'écoule lorsque vous piquez la cuisse avec une fourchette à l'endroit le plus épais. Disposez-les sur un plat et servez.

Voir variantes p. 105

Poitrines de canard grillées aux herbes

Pour 6 personnes

Le gras naturellement présent dans les poitrines de canard leur permet de supporter parfaitement la forte chaleur du gril.

12 cl (½ tasse) d'huile d'olive
Le jus de 1 citron
4 baies de genièvre concassées
1 c. à s. de sauce Worcestershire
2 gousses d'ail écrasées
1 c. à c. de thym séché
1 c. à c. de feuille de laurier moulue
½ c. à c. d'oignon semoule
½ c. à c. de poivre noir du moulin
¼ de c. à c. de paprika
4 poitrines de canard

Mettez tous les ingrédients dans une petite casserole, à l'exception du canard. Faites frémir de 5 à 7 min, retirez du feu et laissez refroidir. Placez les poitrines de canard dans un sachet en plastique refermable. Versez la moitié de la préparation aux herbes dessus, secouez pour les enrober et fermez le sachet. Laissez mariner entre 6 et 8 h au réfrigérateur. Réservez le reste de marinade.
Préchauffez le gril à température moyenne à élevée. Sortez les poitrines de canard du sachet en plastique et jetez la marinade. Posez-les sur une grille légèrement huilée. Faites-les griller 3 min, badigeonnez-les d'un peu de marinade réservée et retournez-les. Poursuivez la cuisson en les badigeonnant de marinade toutes les 3 min, jusqu'à ce que la température atteigne 63 °C (145 °F) à l'intérieur. Retirez les poitrines du feu, découpez-les en tranches et servez aussitôt.

Voir variantes p. 106

Poulet estival laqué aux épices

Pour 4 personnes

Voici une recette facile de poulet en crapaudine, c'est-à-dire ouvert en deux et rôti.

1 poulet entier de 1,6 à 1,8 kg
Pour la marinade
1 canette de 33 cl de Dr Pepper
10 gousses d'ail écrasées
3 piments entiers
2 c. à s. de sauce pimentée douce
1 oignon râpé
2 c. à s. de coriandre ciselée
2 c. à s. de persil ciselé
2 c. à c. de sel de mer
Pour le laquage
12 cl de miel liquide
2 c. à s. de moutarde de Dijon
2 c. à s. de racine de gingembre râpée
1 c. à s. de zeste d'orange râpé
1 c. à s. de zeste de citron vert râpé

Videz, rincez et séchez le poulet. Préparez-le en crapaudine : à l'aide d'un couteau aiguisé, coupez le long de la colonne vertébrale et retirez-la. Sur le bréchet se trouve un morceau de nerf. Coupez au milieu, placez vos pouces de chaque côté et déboîtez le bréchet. Aplatissez le poulet et mettez-le dans un sachet en plastique refermable. Mélangez les ingrédients de la marinade (vous pouvez remplacer le Dr Pepper par du cola avec 2 gouttes d'essence d'amande amère), versez-les dessus et fermez le sachet. Placez au réfrigérateur 3 h ou, mieux, une nuit. Mélangez les ingrédients du laquage. Préchauffez le barbecue à température moyenne. Posez le poulet sur une grille, les os dessous. Jetez le sachet et la marinade. Faites cuire le poulet de 15 à 20 min sur chaque face. Lorsque la température interne atteint 75 °C (165 °F), commencez à le badigeonner de laquage. Poursuivez jusqu'à épuisement de la préparation : la température doit atteindre 77 °C (170 °F). Retirez le poulet du gril, couvrez-le et laissez-le reposer 10 min au chaud avant de le découper.

Voir variantes p. 107

Blancs de dinde grillés marinés au romarin

Pour 4 personnes

La dinde parfumée d'une marinade veloutée aux herbes constitue une grillade idéale pour l'automne.

2 ciboules finement émincées
12 cl (1/2 tasse) de jus d'orange
3 c. à s. d'huile d'olive
2 c. à s. de feuilles de romarin ciselées
2 c. à s. de vinaigre balsamique
1 c. à c. de zeste de citron râpé
2 c. à c. de jus de citron
1 c. à s. de miel liquide
1/2 c. à c. de sel de mer
4 blancs de dinde

Mélangez tous les ingrédients dans un bol, à l'exception de la dinde. Réservez 4 c. à s. de cette marinade et versez le reste dans un sachet en plastique refermable. Mettez les blancs de dinde dans le sachet, refermez-le et secouez-le pour les enrober. Laissez mariner au moins 1 h.

Sortez les blancs de la marinade et posez-les sur une grille sur chaleur moyenne. Faites-les griller 5 min, puis retournez-les et poursuivez la cuisson de 3 à 5 min. Badigeonnez avec la marinade réservée pendant la cuisson. Retirez du feu et servez.

Voir variantes p. 108

Poulet miel-agrumes

Pour 4 personnes

Les blancs de poulet fades, ce n'est pas une fatalité ! Faites-les mariner dans cette préparation toute simple à l'aigre-douce 1 h environ avant de les faire cuire.

4 blancs de poulet
Le jus de 1 orange
Le jus de 1 citron vert
Le jus de 1 citron
3 c. à s. de miel liquide
2 c. à s. d'huile d'olive
½ c. à c. de Tabasco

Attendrissez délicatement les blancs de poulet entre deux morceaux de film alimentaire, à la main ou avec un marteau à viande, afin d'obtenir des morceaux de même épaisseur. Faites-les mariner dans le jus des agrumes, le miel, l'huile et le Tabasco 1 h environ à température ambiante.

Faites griller les blancs de poulet sur un gril préchauffé à température moyenne, en les retournant une fois, de 5 à 7 min par face ou jusqu'à ce qu'ils soient cuits. Lorsque vous les piquez avec une fourchette, le jus qui s'écoule doit être clair.

Voir variantes p. 109

Cailles rôties

Pour 2 personnes

Les cailles dodues sont toujours un régal. Servez-les avec des quartiers de citron pour compléter d'une note acidulée la saveur sucrée de la marinade.

80 g de ciboules finement émincées
6 cl (4 c. à s.) de miel liquide
2 c. à s. de sauce Worcestershire
4 grosses gousses d'ail écrasées
1 c. à s. de moutarde sèche
2 c. à c. de piment en poudre
25 cl (1 tasse) de vin blanc sec
Sel de mer
Poivre noir du moulin
4 cailles partiellement désossées de 120 à 140 g chacune, bardées de lard

Dans une casserole, mélangez tous les ingrédients à l'exception des cailles. Faites chauffer 15 min sur feu moyen. Retirez du feu et laissez refroidir à température ambiante.
Disposez les cailles dans un plat et versez dessus les deux tiers de la marinade. Réservez le reste pour les badigeonner au cours de la cuisson. Laissez mariner 30 min à température ambiante.
Préchauffez le gril à température moyenne. Faites rôtir les cailles 3 ou 4 min de chaque côté, en les badigeonnant régulièrement avec la marinade réservée. Retirez-les quand la chair est ferme et qu'un jus clair s'écoule lorsque vous piquez la cuisse. Servez sans attendre.

Voir variantes p. 110

Escalopes de dinde pêche-gingembre

Pour 4 personnes

Peu grasses, les escalopes de dinde constituent un excellent choix pour qui veut manger sainement.

1 c. à s. de racine de gingembre râpée
3 c. à s. de sauce soja
5 c. à s. de vinaigre de riz
5 c. à s. d'huile d'olive
120 g de confiture de pêche
4 escalopes de dinde de 170 g chacune

Pour préparer la marinade, mélangez tous les ingrédients à l'exception de la dinde. Réservez-en 4 c. à s. pour badigeonner la viande. Mettez les escalopes et le reste de marinade dans un grand sachet en plastique refermable ou dans un plat. Laissez mariner 30 min au réfrigérateur, en les retournant de temps en temps.
Préchauffez le gril légèrement huilé. Égouttez les escalopes. Faites-les griller 5 min sur chaque face, en les badigeonnant de temps à autre avec la marinade réservée, jusqu'à ce qu'elles soient bien cuites et que l'intérieur ait atteint une température de 77 °C (170 °F).

Voir variantes p. 111

Pilons de poulet à la jamaïcaine

Pour 4 personnes

Cette pâte de piment étant exceptionnellement forte, vous pouvez utiliser moins de piments.

3 gros piments
3 ciboules hachées
2 c. à s. de vinaigre de vin blanc
2 c. à s. de romarin séché
2 c. à s. de basilic séché
2 c. à s. de thym séché
2 c. à s. de graines de moutarde
2 c. à s. de persil séché
1 c. à c. de jus de citron vert
1 c. à c. de moutarde blanche
Sel de mer
Poivre noir
12 pilons de poulet

Réduisez tous les ingrédients en purée, à l'exception du poulet, de façon à obtenir une pâte. Laissez-la 2 h au réfrigérateur.
Plongez les pilons dans la préparation en les enduisant bien, puis faites-les griller de 40 à 50 min sur feu très doux.
Vous pouvez également les cuire sur chaleur directe, sur un gril préchauffé à température moyenne, 10 min par face ou jusqu'à ce que la peau soit dorée et croustillante. Les pilons sont cuits si un jus clair s'écoule lorsqu'on les pique à l'endroit le plus épais. Retirez-les du gril et couvrez-les de papier d'aluminium. Laissez reposer 5 min avant de servir.

Voir variantes p. 112

Pilons de dinde à la salsa fruitée

Pour 6 personnes

Cette salsa à la mexicaine apporte une touche acidulée étonnante à ces pilons de dinde simplement grillés.

Pour la marinade

12 cl (1/2 tasse) de jus de citron vert
6 cl (4 c. à s.) de sauge ciselée
3 c. à s. de vinaigre de vin blanc
2 c. à s. de sucre en poudre
12 cl (1/2 tasse) d'huile d'olive
6 petits pilons de dinde

Pour la salsa

1 petit ananas pelé et coupé en dés
1 petite papaye pelée et coupée en dés
1 citron vert moyen pelé et coupé en dés
1 petit poivron rouge épépiné et coupé en dés
1 oignon rouge moyen haché
2 piments rouges frais finement hachés
4 c. à s. de coriandre ciselée
3 c. à s. de jus de citron vert
Sel de mer

Mélangez le jus de citron vert, la sauge, le vinaigre, le sucre et l'huile dans un bol. Mettez les pilons de dinde dans un grand sachet en plastique refermable, versez la marinade dessus et secouez le sachet pour les enrober. Laissez une nuit au réfrigérateur.
Sortez les pilons de la marinade. Posez-les sur une grille légèrement huilée et faites-les cuire sur le gril préchauffé, en les retournant toutes les 10 à 15 min. Ils sont cuits quand le jus qui s'écoule est clair ou lorsque la température intérieure atteint 77 °C (170 °F).
Pendant ce temps, mélangez l'ananas, la papaye, le citron vert, le poivron et l'oignon dans un saladier. Ajoutez les piments, la coriandre, le jus de citron vert et le sel. Servez cette salsa en accompagnement des pilons de dinde.

Voir variantes p. 113

Variantes

Poulet entier à la sauce barbecue

Recette de base p. 81

Poulet entier fumé à la marocaine
Remplacez la marinade sèche par un laquage : mélangez 4 c. à s. de beurre doux fondu, 4 c. à s. de miel liquide, 2 c. à c. de gingembre en poudre, 1 c. à c. de cannelle en poudre, 1 c. à c. de coriandre moulue, 1/4 de c. à c. de curcuma en poudre, 2 pincées de macis moulu, du sel et du poivre noir du moulin selon votre goût.

Poulet entier mariné à la sauce barbecue
Remplacez la marinade sèche par celle-ci : mélangez 25 cl (1 tasse) de sauce soja, 12 cl (1/2 tasse) de vinaigre de cidre, 2 gousses d'ail écrasées, 1 c. à c. d'origan séché et 1 c. à c. d'estragon séché.

Poulet entier à la sauce barbecue façon Billy
Remplacez la marinade sèche par celle-ci : mélangez 1 c. à s. de cassonade, 1 c. à s. de paprika, 1/4 de c. à c. de poivre de Cayenne, 1 c. à c. de sel d'oignon, 1 c. à c. de sel d'ail, 1 c. à c. de sel de céleri et 1 c. à c. de moutarde sèche.

Poulet entier épicé à la sauce barbecue
Remplacez la marinade sèche par celle-ci : mélangez 220 g de cassonade, 1 c. à s. de quatre-épices , 1 c. à c. de thym séché, 1 c. à c. de moutarde sèche, 1 c. à c. d'ail semoule, 1 c. à c. de gingembre en poudre et 1 c. à c. de poivre de Cayenne.

Variantes

Poulet aux herbes cuit à la canette de bière

Recette de base p. 82

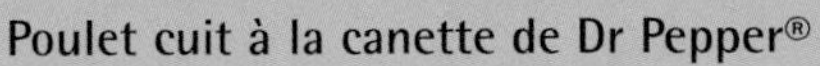

Poulet cuit à la canette de Dr Pepper®

Remplacez la marinade sèche par celle-ci : mélangez 1 c. à s. de paprika, 1 c. à c. de moutarde sèche, 1 c. à c. d'oignon semoule, 1 c. à c. de sel de mer, ½ c. à c. d'ail semoule, ½ c. à c. de coriandre en poudre, ½ c. à c. de cumin en poudre et ½ c. à c. de poivre noir du moulin. Utilisez une canette de Dr Pepper®.

Poulet cuit à la canette de bière brune

Remplacez la marinade sèche par celle-ci : mélangez 55 g de cassonade, 4 c. à s. de paprika doux, 2 c. à s. de poivre noir moulu, du sel de mer, 1 c. à s. de sel fumé au noyer (facultatif), 2 c. à s. d'ail semoule, 2 c. à s. d'oignon semoule, 2 c. à s. de graines de céleri et 1 c. à c. de piment doux en poudre. Utilisez une canette de bière brune.

Poulet à la californienne cuit à la canette

Remplacez la marinade sèche par celle-ci : mélangez 2 c. à s. de cassonade, 1 c. à s. de sucre, 1 c. à s. de paprika fumé, 1 ½ c. à c. d'ail semoule, du sel de mer, 1 c. à c. de poivre, ½ c. à c. de moutarde sèche, ¼ de c. à c. de poivre de Cayenne, ¼ de c. à c. de sauge en poudre et ¼ de c. à c. d'assaisonnement pour poulet. Utilisez une canette à demi remplie de vin blanc.

Poulet cuit à la canette de cola

Remplacez la marinade sèche par celle-ci : mélangez 1 c. à s. de paprika, 1 c. à c. de moutarde sèche, 1 c. à c. de sel de mer, 1 c. à c. d'ail semoule, 1 c. à c. de poivre et 1 c. à c. d'oignon semoule. Utilisez une canette de cola.

Variantes

Cuisses de poulet farcies pommes-raisin

Recette de base p. 85

Cuisses de poulet rôties cajun
Supprimez la farce pommes-raisins. À la place, faites mariner les cuisses de poulet dans 6 cl (4 c. à s.) d'huile végétale, 2 c. à s. de mélange cajun, du sel de mer et du poivre noir du moulin. Supprimez le jus de pomme et laquez avec 50 cl (2 tasses) de sauce barbecue.

Cuisses de poulet rôties à l'orientale
Supprimez la farce pomme-raisins. À la place, faites mariner les cuisses de poulet dans 25 cl (1 tasse) de sauce soja, 12 cl (½ tasse) de cassonade, 2 c. à s. de racine de gingembre râpée, 4 grosses gousses d'ail écrasées et 1 c. à c. de cinq-épices chinois.

Cuisses de poulet rôties piment-citron vert
Supprimez la farce pomme-raisins. À la place, faites mariner les cuisses de poulet dans 2 cl (1 ⅓ c. à s.) de jus de citron vert, 12 cl (½ tasse) d'huile d'olive, 2 c. à s. de piments au vinaigre finement hachés, 1 c. à s. de miel liquide, du sel et du poivre noir du moulin.

Cuisses de poulet rôties épicées laquées à l'abricot
Supprimez la farce pomme-raisins et le jus de pomme. Pendant la cuisson, badigeonnez les cuisses d'un laquage à l'abricot : faites chauffer à feu doux 25 cl (1 tasse) d'abricots en conserve, 12 cl (½ tasse) de vinaigre de vin blanc, 2 c. à s. de rhum léger, 2 c. à s. de moutarde forte et 2 grosses gousses d'ail écrasées.

Variantes

Poulets de Cornouailles rôtis

Recette de base p. 86

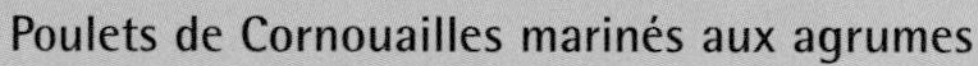

Poulets de Cornouailles marinés aux agrumes

Remplacez la pâte d'épices par une marinade : mélangez 2 c. à s. d'huile d'olive, 12 cl (½ tasse) de jus d'orange, 6 cl (4 c. à s.) de jus de citron, 6 cl (4 c. à s.) d'eau, ½ oignon finement haché, 1 c. à c. de romarin séché, ½ c. à c. de thym séché et 1 gousse d'ail écrasée. Laissez les poulets mariner 2 h.

Poulets de Cornouailles rôtis façon John

Remplacez la pâte d'épices par une marinade sèche : mélangez 1 c. à s. de sel d'ail, 1 c. à s. de poivre au citron et 1 c. à c. d'assaisonnement pour poulet.

Poulets de Cornouailles rôtis à l'estragon et à la moutarde de Dijon

Remplacez la pâte d'épices par une marinade : mélangez 12 cl (½ tasse) de babeurre, 3 c. à s. de moutarde de Dijon, 2 c. à s. de vinaigre de vin blanc, 2 échalotes hachées, 1 c. à s. de gin et 2 c. à c. d'estragon séché. Laissez les poulets mariner 2 h. Sortez-les de la marinade et faites-les griller. Quand ils sont cuits, saupoudrez-les de sel et de poivre selon votre goût.

Poulets de Cornouailles rôtis au paprika fumé

Remplacez la pâte d'épices par une marinade sèche : mélangez 50 g de cassonade, 1 c. à s. de paprika fumé, 2 c. à c. de piment en poudre, 2 c. à c. de cumin en poudre, ½ c. à c. d'ail semoule, ½ c. à c. de poivre au citron, 1 c. à c. d'origan séché, 1 c. à c. de sel de mer, 1 c. à c. d'oignon semoule et 1 c. à c. de poivre de Cayenne.

Variantes

Poitrines de canard grillées aux herbes

Recette de base p. 89

Poitrines de canard grillées à l'asiatique
Remplacez la marinade par celle-ci : mélangez 12 cl (1 tasse) de sauce soja, 6 cl (½ tasse) de vin rouge ou de cidre, 2 c. à s. d'huile d'olive, 2 c. à s. de cassonade, 1 c. à s. de jus de citron et 1 c. à s. de jus de citron vert, ¼ de c. à c. d'ail semoule, 2 pincées de poivre noir moulu et du sel de mer.

Poitrines de canard grillées à l'orange et au gingembre
Supprimez la marinade. Faites griller les poitrines de canard puis servez-les avec cette sauce : mélangez 12 cl (1 tasse) de jus d'orange, 35 cl (1 ⅓ tasse) de bouillon de volaille, 6 cl (4 c. à s.) de vinaigre balsamique, 2 c. à c. de racine de gingembre râpée, 4 c. à s. de beurre fondu, ½ c. à c. de sel de mer, 1 c. à c. de poivre noir concassé et 1 c. à c. de zeste d'orange râpé.

Poitrines de canard grillées laquées à la prune
Remplacez la marinade par un laquage : faites chauffer à feu doux 4 c. à s. de beurre, 1 c. à s. de sel d'ail, 2 c. à c. de poivre noir du moulin, 250 g de confiture de prune, 25 cl (1 tasse) de sauce hoisin, 1 c. à s. de racine de gingembre râpée, 1 c. à c. de sel de mer et ½ c. à c. de poivre noir fin. Badigeonnez-en les poitrines au cours de la cuisson.

Poitrines de canard grillées laquées à la groseille
Avant de les faire griller, surmontez chaque poitrine de canard de 1 tranche de bacon fumé. Remplacez la marinade par un laquage : faites chauffer à feu doux 2 cubes de bouillon de bœuf, 25 cl (1 tasse) d'eau, 2 c. à s. de gelée de groseille, ½ c. à c. de moutarde sèche, 1 c. à s. de xérès, 2 pincées de marjolaine séchée, ¼ de c. à c. d'origan séché et le zeste râpé d'une orange.

Variantes

Poulet estival laqué aux épices

Recette de base p. 90

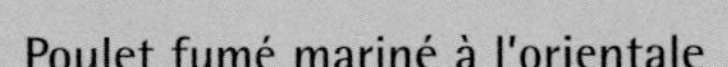

Poulet fumé mariné à l'orientale

Remplacez la marinade estivale par celle-ci : mélangez 12 cl (½ tasse) de saké, 6 cl (4 c. à s.) d'huile de sésame, 6 cl (4 c. à s.) de sauce soja, 2 c. à s. de moutarde au miel, 5 c. à s. de cassonade, 2 traits de fumée liquide, 1 c. à s. de zeste d'orange râpé, 2 c. à c. de gingembre en poudre, 2 c. à s. de paprika, 1 c. à c. de fines herbes et ¼ de c. à c. de romarin séché.

Poulet rôti façon Mary

Remplacez la marinade estivale par celle-ci : mélangez 1 c. à s. de sucre roux, 1 c. à s. de sucre en poudre, 2 c. à s. de sel de mer, 1 c. à c. de moutarde sèche, 1 c. à c. d'oignon semoule, ½ c. à c. de paprika, ½ c. à c. de coriandre séchée, ½ c. à c. de basilic séché, ½ c. à c. d'ail semoule, ½ c. à c. de coriandre moulue, ½ c. à c. de cumin en poudre et ½ c. à c. de poivre noir du moulin.

Poulet grillé à la péruvienne

Remplacez la marinade estivale par celle-ci : mélangez 5 c. à s. de sauce soja, 2 c. à s. d'huile végétale, 2 c. à s. de jus de citron vert, 5 grosses gousses d'ail écrasées, 2 c. à c. de cumin grillé en poudre, 1 c. à s. de paprika et 1 c. à c. d'origan séché.

Poulet grillé facile à la cajun

Remplacez la marinade estivale par celle-ci : mélangez 2 c. à s. de paprika fumé, 1 c. à s. d'ail semoule, 2 c. à c. de sel de mer, 1 c. à c. de poivre de Cayenne, 1 c. à c. de poivre blanc, 1 c. à c. de poivre noir, 1 c. à c. d'origan, 1 c. à c. de thym et 1 c. à c. d'oignon semoule.

Variantes

Blancs de dinde grillés marinés au romarin

Recette de base p. 91

Blancs de dinde grillés marinés au xérès et au citron
Remplacez la marinade au romarin par celle-ci : mélangez 4 c. à s. de sauce soja, 4 c. à s. d'huile d'olive, 4 c. à s. de xérès, 2 c. à s. de jus de citron, 2 c. à s. d'oignon râpé, 1/2 c. à c. de gingembre en poudre, du poivre selon votre goût et 1 pincée de sel assaisonné.

Blancs de dinde grillés marinés à l'estragon
Remplacez la marinade au romarin par celle-ci : mélangez 5 c. à s. d'huile d'olive, 2 c. à s. de vinaigre de vin rouge, 1 c. à s. de moutarde de Dijon, 1 grosse gousse d'ail écrasée, 2 c. à c. d'estragon séché, 1/2 c. à c. de sel et 1/4 de c. à c. de poivre moulu.

Blancs de dinde au poivre du Sichuan laqués à la groseille
Remplacez la marinade au romarin par un laquage : faites chauffer à feu doux 25 cl (1 tasse) de gelée de groseille, 4 c. à s. de sauce hoisin, 2 c. à s. de cassonade, 2 c. à s. de triple sec, 1 c. à s. de racine de gingembre râpée, 1/2 c. à c. de piment en poudre, 1 c. à c. de sel de mer, 1 c. à c. de grains de poivre du Sichuan moulus, 1/2 c. à c. d'ail semoule et 2 c. à s. d'huile végétale.

Blancs de dinde laqués au hoisin
Remplacez la marinade au romarin par un laquage : faites chauffer à feu doux 4 c. à s. de sauce hoisin, 4 c. à s. de jus d'orange, 1 c. à c. d'ail semoule, 1 c. à c. d'oignon semoule, 1/2 c. à c. de sel de mer, 1/2 c. à c. de poivre noir du moulin et 1/2 c. à c. de poivre de Cayenne.

Variantes

Poulet miel-agrumes

Recette de base p. 92

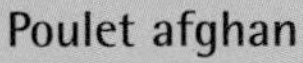

Poulet afghan

Remplacez la marinade par une version afghane : mélangez 2 grosses gousses d'ail écrasées, ½ c. à c. de sel de mer, 45 cl (1 ¾ tasse) de yaourt nature au lait entier, 4 c. à s. de jus de citron, la pulpe de 1 gros citron et ½ c. à c. de poivre noir concassé. Servez le poulet accompagné de pain pita.

Poulet laqué à la pomme et au miel

Remplacez la marinade par un laquage : mélangez 5 c. à s. de gelée de pomme, 1 c. à s. de miel liquide, 1 c. à s. de moutarde de Dijon, ½ c. à c. de cannelle en poudre et du sel de mer.

Poulet grillé à l'athénienne

Remplacez la marinade par une marinade à la grecque : mélangez 12 cl (½ tasse) de vin rouge, 12 cl (½ tasse) d'huile d'olive, 4 c. à s. de jus de citron, 2 c. à s. d'origan séché, 1 c. à c. de thym séché, 1 c. à c. de feuilles de basilic séchées, 1 c. à c. de zeste de citron râpé, 1 c. à c. de sel de mer et ½ c. à c. de poivre noir du moulin.

Blancs de poulet grillés à l'italienne

Remplacez la marinade par une version italienne : mélangez 2 gousses d'ail écrasées, 1 c. à c. de graines de fenouil grillées et moulues, 2 c. à s. de jus de citron, 2 c. à s. d'huile d'olive, du sel de mer et du poivre noir du moulin selon votre goût.

Variantes

Cailles rôties

Recette de base p. 95

Cailles rôties sauce à la prune et au piment
Remplacez la marinade par un laquage : faites chauffer sur feu doux 2 ½ c. à s. d'huile végétale, 1 oignon rouge finement haché, 1 ½ c. à s. d'ail écrasé, ½ piment rouge haché, 700 g de prunes violettes dénoyautées et en dés, 2 c. à c. de curry doux, ½ c. à c. de quatre-épices, 12 cl (½ tasse) de miel liquide, 6 cl (4 c. à s.) de sauce soja, le jus de 1 orange et de 2 citrons.

Cailles rôties laquées à l'ail et au genièvre
Remplacez la marinade par un laquage : mélangez 1 c. à s. d'ail écrasé, 1 c. à s. de baies de genièvre concassées, le jus de 1 citron, 4 c. à s. de vermouth sec, ½ c. à c. de thym séché, 2 c. à c. de sauge moulue, du sel de mer et du poivre noir. Laissez mariner 30 min. Laquez les cailles avec un mélange de 4 c. à s. de beurre fondu et 25 cl (1 tasse) de sauce barbecue.

Cailles acidulées ail-citron vert
Remplacez la marinade par une pâte d'épices : mélangez 4 grosses gousses d'ail, 2 c. à s. d'huile d'olive légère, 1 c. à s. de zeste de citron vert râpé, 2 c. à c. de thym ciselé, du sel et du poivre. Frottez-en l'intérieur des cailles et laissez mariner 30 min.

Cailles rôties à la chinoise
Remplacez la marinade par une version chinoise : mélangez 4 c. à s. de sauce hoisin, 3 c. à s. de sauce ail-piment, 3 c. à s. d'huile de sésame, 3 c. à s. de miel liquide, 2 c. à s. de graines de sésame, 1 c. à c. de gingembre en poudre et ½ c. à c. de cinq-épices chinois. Laissez mariner 30 min.

Variantes

Escalopes de dinde pêche-gingembre

Recette de base p. 96

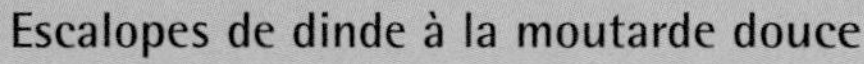

Escalopes de dinde à la moutarde douce

Remplacez la marinade par celle-ci : mélangez 2 c. à s. de moutarde douce, 2 c. à c. de mayonnaise, 1 c. à c. de jus de citron et du poivre. Décorez de paprika et de 2 c. à s. de persil ciselé.

Escalopes de dinde à la dijonnaise

Remplacez la marinade par une version à la moutarde forte : mélangez 6 cl (4 c. à s.)d'huile végétale, 6 cl (4 c. à s.) de miel liquide, 2 c. à s. de moutarde de Dijon, 1 c. à c. de zeste de citron, 2 c. à s. de jus de citron, 1 gousse d'ail écrasée, 1/4 de c. à c. de thym séché, du sel de mer et du poivre noir du moulin. Réservez 6 cl (4 c. à s.) de la marinade pour la servir en sauce d'accompagnement.

Escalopes de dinde teriyaki

Remplacez la marinade par une version asiatique : mélangez 12 cl (1/2 tasse) de sauce soja, 6 cl (4 c. à s.) de saké doux, 2 c. à s. de miel liquide, 2 c. à c. de racine de gingembre râpée, 1 c. à c. de zeste d'orange râpé, 1 c. à c. d'huile de sésame et 2 gousses d'ail écrasées. Décorez de graines de sésame grillées.

Escalopes de dinde épicées aux rondelles d'ananas

Remplacez la marinade par une version caribéenne : mélangez une boîte de 500 g de rondelles d'ananas égouttées, 3 c. à s. de miel, 1 c. à s. d'huile végétale, 1/4 de c. à c. de cannelle en poudre, 2 c. à s. de jamaican jerk, 2 c. à s. de sauce soja, 1 c. à s. de jus de citron, 1 c. à s. d'oignon séché et 1/4 de c. à c. de sel. Badigeonnez-en la viande.

Variantes

Pilons de poulet à la jamaïcaine

Recette de base p. 99

Pilons de poulet laqués au sirop d'érable

Au lieu de confectionner une pâte d'épices, laquez le poulet avec la préparation suivante : réchauffez à feu doux 12 cl (½ tasse) de sauce pimentée, 12 cl (½ tasse) de sirop d'érable, 3 c. à s. de vinaigre de cidre, 3 c. à s. d'huile végétale, 1 c. à s. de moutarde préparée, ½ c. à c. de sel de mer et ¼ de c. à s. de Tabasco.

Pilons de poulet grillés à l'asiatique

Au lieu de confectionner une pâte d'épices, faites mariner le poulet 2 h dans ce mélange : 4 c. à s. de sauce soja, 4 c. à s. de jus de citron, 4 c. à s. d'huile de sésame, 12 cl (½ tasse) de miel liquide, 4 gousses d'ail écrasées, 2 c. à s. de racine de gingembre râpée, 3 c. à s. d'huile végétale, 1 c. à c. de piment en poudre et du poivre.

Pilons de poulet juste grillés

Au lieu de confectionner une pâte d'épices, frottez le poulet avec la préparation suivante : 4 c. à c. de sel de mer, 2 c. à c. de paprika fumé, 1 c. à c. d'oignon semoule, ½ c. à c. de thym séché, ½ c. à c. d'ail semoule, ½ c. à c. de basilic séché et ½ c. à c. de poivre du moulin.

Délicieux pilons de poulet

Au lieu de confectionner une pâte d'épices, faites mariner le poulet 1 h dans ce mélange : 2 c. à s. de ketchup, 2 c. à s. de sauce soja, 1 c. à s. de vinaigre balsamique, 1 c. à s. de miel liquide, 1 c. à s. de cassonade, 1 c. à s. de moutarde de Dijon, le jus et le zeste de 1 orange, du sel de mer et du poivre noir du moulin.

Variantes

Pilons de dinde à la salsa fruitée

Recette de base p. 100

Pilons de dinde à la mexicaine
Remplacez la salsa par une marinade sèche : mélangez 2 c. à s. de sel de mer, 2 c. à s. de poivre noir, 2 c. à s. de piment en poudre, ½ c. à c. de cumin en poudre et ½ c. à c. d'ail semoule.

Pilons de dinde à la sauce sucrée et épicée
Supprimez la salsa. Faites chauffer à feu doux 2 c. à s. de cassonade, 25 cl (1 tasse de ketchup, 4 c. à s. de jus de citron, 1 c. à s. d'oignon semoule, 1 c. à s. de sauce Worcestershire, 1 c. à s. de moutarde de Dijon, 1 c. à c. de piment en poudre et 1 c. à c. de poivre de Cayenne.

Pilons de dinde ail-gingembre
Supprimez la salsa. Faites chauffer 12 cl (½ tasse) de sauce soja, 2 c. à s. de xérès, 2 c. à s. de cassonade, 1 c. à s. de racine de gingembre râpée, 2 c. à c. d'huile et 1 gousse d'ail écrasée.

Pilons de dinde grillés
Supprimez la salsa. Faites chauffer 4 c. à s. de jus de citron, 2 c. à s. de cassonade, 1 c. à s. de sauce Worcestershire, 1 c. à s. de sauce soja, 1 c. à s. de moutarde de Dijon, 1 c. à c. de piment en poudre, 1 c. à c. d'oignon semoule et 25 cl (1 tasse) de ketchup.

Pilons de dinde au yaourt et aux herbes
Supprimez la salsa. Faites mariner les pilons 2 h dans ce mélange : 25 cl (1 tasse) de yaourt grec, 3 c. à s. de moutarde, 3 c. à s. de miel, 2 c. à c. de basilic séché, 2 c. à c. de sel de mer, ½ c. à c. de thym séché, ½ c. à c. d'origan séché, ½ c. à c. d'aneth séché et ½ c. à c. de poivre noir.

Saveurs de porc et d'agneau

Une bonne grillade est souvent la clé d'un barbecue réussi. Vous trouverez dans ce chapitre des dizaines d'idées plus succulentes les unes que les autres, des recettes qui vous aideront à sublimer la douceur de la viande de porc et le parfum de l'agneau.

Burgers de porc teriyaki

Pour 6 burgers

En japonais, *teri* signifie «rayon de soleil» et *yaki* «rôti» ou «grillé»: rien ne peut mieux se prêter au barbecue !

700 g de porc haché
4 c. à s. de chapelure fine
½ c. à c. de poivre du moulin
2 c. à s. d'oignon finement haché
2 ciboules finement émincées
1 grosse gousse d'ail écrasée
2 c. à s. de sauce soja
2 c. à s. de jus d'orange
2 c. à c. de gingembre en poudre
1 c. à s. de cassonade

Préchauffez le barbecue sur chaleur moyenne. Mélangez tous les ingrédients et formez 6 burgers. Faites-les griller de 5 à 10 min par face selon que vous les préférez plus ou moins rosés. La viande de porc doit toujours être bien cuite, à 75 °C (165 °F).
Posez les palets de viande sur des petits pains à hamburger et servez les burgers avec vos condiments ou garnitures préférés: cornichons au vinaigre, anneaux d'oignon, feuilles de laitue ou rondelles de tomate.
Pour explorer de nouveaux goûts, servez les burgers sur des petits pains à hamburger garnis d'orange, puis posez dessus des rondelles de kiwi et de fraise.

Voir variantes p. 139

Travers de porc épicés

Pour 6 personnes

Un assaisonnement relevé en provenance des Caraïbes dynamise ces travers de porc.

8 c. à s. de jamaican jerk
1 c. à s. de cassonade
2 c. à s. de vinaigre de vin rouge
1,8 kg de travers de porc
45 cl (1 3/4 tasse) de sauce barbecue

Mélangez le jamaican jerk, le sucre et le vinaigre dans un saladier. Prélevez 1/4 du mélange et réservez-le. Déposez les travers de porc dans la marinade et retournez-les pour les enrober. Laissez mariner au réfrigérateur 3 à 4 h ou, mieux, toute une nuit.
Préchauffez le barbecue sur chaleur moyenne. Sortez les travers de la marinade. Faites-les cuire de 2 h à 2 h 30, en les retournant et en les badigeonnant souvent avec la marinade réservée. Laquez les travers avec la sauce barbecue pendant les 15 dernières minutes de cuisson.

Voir variantes p. 140

Sandwich de porc au barbecue à l'allemande

Pour 4 personnes

Tartiné de moutarde et servi avec des pickles croquants, ce sandwich présente une association exquise de goûts et de textures.

2 filets de porc de 340 g chacun
3 c. à s. de moutarde allemande
+ de quoi tartiner le pain
Sel de mer
Poivre noir du moulin
1 baguette
4 à 8 c. à s. de ketchup
1 c. à s. de curry
Cornichons en rondelles

Préparez le gril sur chaleur moyenne à élevée. Séchez les filets de porc et enduisez-les de moutarde. Salez et poivrez. Faites-les griller 10 min sur chaque face, ou jusqu'à ce que la partie la plus épaisse ait atteint 68 °C (155 °F). Retirez les filets du barbecue, couvrez-les d'une feuille d'aluminium et laissez-les reposer environ 10 min (la température interne augmente alors de 5 à 10 °C).
Coupez la baguette en 4 morceaux, ouvrez-les et étalez un peu de moutarde sur une face. Détaillez le porc cuit en tranches très fines et répartissez-les dans les morceaux de pain. Garnissez d'un mélange de ketchup, de curry et de rondelles de cornichon avant de servir.

Voir variantes p. 141

Côtelettes de porc au poivre noir et à la mélasse

Pour 4 personnes

Ces côtelettes poivrées comptent parmi les plats préférés des Américains. Servez-les garnies d'un beurre à la mélasse.

60 g de beurre doux ramolli
1 c. à s. de mélasse
1 c. à c. de jus de citron
4 côtelettes de porc désossées de 4 cm (1 ½ po) d'épaisseur
4 c. à s. de poivre noir concassé

Dans un bol, mélangez le beurre, la mélasse et le jus de citron à la fourchette. Couvrez de film alimentaire et réservez au réfrigérateur.
Retirez le gras des côtelettes et frottez-les de poivre sur les deux faces. Faites-les griller de 12 à 15 min sur un gril à chaleur moyenne, en les retournant une fois. Garnissez chaque côtelette de 1 c. à s. de beurre à la mélasse avant de les servir.

Voir variantes p. 142

Grillades de porc Saint-Louis

Pour 5 personnes

Le vinaigre de cidre assaisonné permet d'obtenir une viande particulièrement juteuse et goûteuse, ce qui explique peut-être que les habitants de Saint-Louis sortent les barbecues même en plein hiver pour préparer ce plat !

5 grillades d'épaule de porc de 1,5 cm (1/2 po) d'épaisseur
2 c. à s. de sel assaisonné, ou plus selon votre goût
1 c. à s. de mélange poivré assaisonné, ou plus selon votre goût
45 cl (1 3/4 tasse) de vinaigre de cidre
35 cl (1 1/3 tasse) d'eau
45 cl (1 3/4 tasse) de sauce barbecue

Assaisonnez les grillades de sel et de mélange poivré sur les deux faces. Dans un grand saladier, mélangez le vinaigre et l'eau en ajoutant du sel et du mélange poivré.
Préchauffez le barbecue sur chaleur réduite à moyenne. Huilez légèrement la grille et posez les grillades dessus. Badigeonnez-les de préparation au vinaigre sur les deux faces pendant 15 min. Poursuivez la cuisson de 10 à 15 min.
Quand elles sont cuites, badigeonnez généreusement les grillades de sauce barbecue sur les deux faces et laissez-les sur le feu 1 ou 2 min avant de servir.

Voir variantes p. 143

Épaule de porc au barbecue

Pour 10 à 12 personnes

Les trois assaisonnements successifs apportés à la viande contribuent à lui conférer toute une gamme de parfums. Un barbecue au gaz ou électrique est nécessaire pour la préparation de cette recette, car le rôti doit cuire lentement.

2,2 à 3,2 kg d'épaule de porc
Pour la marinade à la moutarde
25 cl (1 tasse) de moutarde forte
4 c. à s. de sauce Worcestershire
2 c. à s. de jus de citron
2 c. à c. d'ail semoule
1 c. à c. d'oignon semoule
1 c. à c. de poivre noir fin
1/2 c. à c. de poivre de Cayenne
1/2 c. à c. de sel de mer
Pour la marinade Kansas City
4 c. à s. de sucre en poudre
4 c. à s. de sel de mer
2 c. à s. de sucre roux
4 c. à c. de piment en poudre
2 c. à c. de cumin en poudre
1 c. à c. de poivre de Cayenne
1 c. à c. de poivre noir du moulin
1 c. à c. d'ail semoule
1 c. à c. d'oignon semoule
Pour le service
25 cl (1 tasse) de jus de pomme
25 cl (1 tasse) de sauce barbecue
4 c. à s. de vinaigre de cidre

Dégraissez l'épaule de porc. Préparez la marinade à la moutarde en mélangeant tous les ingrédients. Couvrez et réservez. Préparez la marinade Kansas City en mélangeant tous les ingrédients. Couvrez et réservez.
Badigeonnez de marinade à la moutarde le dessous, les côtés et les extrémités de l'épaule de porc. Garnissez le dessus de marinade Kansas City, en en réservant 1 c. à s. Posez la viande sur le barbecue, côté gras dessus, et laissez cuire 8 h en arrosant de jus de pomme avec une cuillère toutes les heures. Retournez l'épaule au bout de 4 h, puis à nouveau au bout de 6 h.

Si vous avez l'intention de couper le porc en tranches, faites-le cuire entre 80 et 85 °C (175-185 °F). Servez-le avec la sauce barbecue réchauffée.
Si vous souhaitez l'effilocher, faites-le cuire à feu plus vif, entre 90 et 95 °C (195-205 °F). Pour l'effilocher, prenez deux grandes fourchettes et détaillez-le en retirant le gras éventuel. Ajoutez la sauce barbecue, le vinaigre de cidre et la marinade Kansas City réservée, mélangez bien et servez.

Voir variantes p. 144

Porc country à la sauce barbecue

Pour 8 personnes

Ces délicieux morceaux de porc enrobés de sauce composent un plat idéal pour les repas d'été.

Pour la marinade sèche
4 c. à s. de cassonade
2 c. à s. de paprika
1 c. à s. d'ail semoule
1 c. à s. de piment en poudre
1 c. à s. d'oignon semoule
2 c. à c. de sel de mer
2 c. à c. de poivre noir du moulin
1 c. à c. d'origan séché

1,8 kg d'épaule de porc
Pour la sauce barbecue
220 g de sauce tomate en conserve
5 c. à s. de mélasse
4 c. à s. de vinaigre
1 c. à c. d'ail semoule
1 c. à c. de piment en poudre
½ c. à c. de poivre noir du moulin
2 c. à c. de sel de mer

Mélangez tous les ingrédients de la marinade sèche. Coupez le porc en morceaux de 5 cm (2 po) et frottez-les de mélange sur les deux faces. Laissez reposer. Pendant ce temps, mélangez tous les ingrédients de la sauce barbecue dans une petite casserole. Faites mijoter sur feu moyen 15 min en remuant de temps en temps.
Préchauffez le barbecue à température moyenne à élevée. Faites griller les morceaux de porc de 20 à 30 min ou jusqu'à ce qu'ils soient cuits, en les retournant de temps à autre pour éviter qu'ils ne brûlent. Laquez avec la sauce barbecue et poursuivez la cuisson jusqu'à ce qu'elle devienne collante.

Voir variantes p. 145

Rôti de porc à la polonaise

Pour 10 à 12 personnes

Toutes les sortes de saucisse fumée conviennent à cette recette, mais les variétés polonaises sont particulièrement savoureuses.

Pour la marinade sèche

1 c. à s. de sucre
1 c. à c. de paprika
1 c. à c. de sel assaisonné
1 c. à c. de sel d'ail
1 c. à c. de sel d'oignon
1 c. à c. de sel de céleri
1 c. à c. de moutarde sèche
1 c. à c. de poivre noir fin
1,3 à 2,3 kg de rôti de porc désossé
15 à 18 cm de saucisse polonaise cuite ou fumée
4 c. à s. d'huile végétale
1 oignon moyen coupé en rondelles

Mélangez tous les ingrédients de la marinade sèche. Si le rôti de porc est enroulé, coupez la ficelle. Déroulez-le, disposez la saucisse à l'intérieur et reformez-le bien serré. Maintenez-le avec de la ficelle placée tous les 2,5 cm (1 po). Huilez le rôti farci et assaisonnez-le de marinade sèche.

Préchauffez un barbecue couvert ou un fumoir. Posez la viande sur la grille et répartissez les rondelles d'oignon dessus. Faites cuire entre 110 et 120 °C (230-250 °F), couvert, sur chaleur indirecte. Le rôti doit atteindre une température interne de 68 °C (155 °F). Découpez-le en tranches épaisses et servez chaud.

Voir variantes p. 146

Côtes d'agneau à la dijonnaise

Pour 4 personnes

Une recette française simple mais dynamique qui souligne la saveur exquise des côtes d'agneau.

12 côtes premières d'agneau
3 c. à s. de zeste d'orange râpé
3 c. à s. de thym ciselé
15 cl (10 c. à s.) de moutarde de Dijon
2 c. à s. de cassonade
Sel et poivre selon votre goût

Dégraissez les côtes d'agneau. Mettez le zeste d'orange et le thym dans un bol. Ajoutez la moutarde et la cassonade, puis mélangez. Préchauffez le barbecue.
Badigeonnez les côtes sur les deux faces en utilisant la moitié de la préparation. Faites-les cuire sur le gril chaud environ 2 min par face, puis répétez l'opération avec l'autre moitié de la préparation. Prolongez la cuisson si nécessaire. Salez, poivrez et servez.

Voir variantes p. 147

Carré d'agneau tandoori

Pour 8 personnes

Le carré d'agneau s'associe à merveille avec ces épices indiennes traditionnelles. L'agneau saisi devient croustillant tout en restant fondant à l'intérieur.

1/2 c. à c. de curcuma en poudre
1/2 c. à c. de curry
1/2 c. à c. de cumin en poudre
1/2 c. à c. de coriandre moulue
1 c. à c. de cassonade
1/4 de c. à c. de moutarde sèche
1/4 de c. à c. de gingembre en poudre
1 carré d'agneau pour 8 personnes

Mélangez le curcuma, le curry, le cumin, la coriandre, la cassonade, la moutarde et le gingembre. Séchez le carré d'agneau avec du papier absorbant et enduisez-le de mélange d'épices. Réservez 1 h.

Préchauffez le gril. Placez l'agneau sur la grille chaude et saisissez-le 2 min sur chaque face. Réduisez le feu ou déplacez la viande sur une partie moins chaude du barbecue. Poursuivez la cuisson jusqu'à ce que la température interne atteigne 54 °C (130 °F).

Laissez reposer le carré d'agneau 10 min, découpez les côtes et servez aussitôt.

Voir variantes p. 148

Gigot d'agneau épicé à la broche

Pour 6 personnes

Ce gigot d'agneau délicatement épicé exhale toutes les senteurs de l'Asie.

1 gigot d'agneau désossé et paré de 1,8 kg
3 c. à s. de yaourt nature
2 c. à c. de curcuma en poudre
1 c. à c. de cardamome moulue
1 c. à c. de racine de gingembre râpée
1 c. à c. de paprika
2 grosses gousses d'ail finement hachées
1/2 c. à c. de sel, ou plus selon votre goût
1/2 c. à c. de poivre noir moulu

Dégraissez la viande si nécessaire, puis pratiquez des entailles en diagonale sur chaque face. Mélangez le reste des ingrédients dans un bol et versez la marinade sur le gigot en la faisant bien pénétrer dans les entailles. Réservez-en un peu pour la cuisson. Couvrez l'agneau et mettez-le 1 h au réfrigérateur.
Préchauffez le barbecue à température basse. Sortez l'agneau de la marinade, en la réservant. Installez-le sur une broche et faites-le cuire de 1 h 30 à 2 h sur le gril en le laquant de marinade toutes les 15 min.
Si vous ne disposez pas d'une broche, retournez l'agneau chaque fois que vous le laquez.
À la fin de la cuisson, retirez le gigot du barbecue et laissez-le reposer 10 min avant de le découper.

Voir variantes p. 149

Carrés d'agneau grillés façon Denver

Pour 8 à 10 personnes

Cette recette peut aussi être réalisée avec des carrés de porc ; veillez simplement à ce qu'ils soient bien cuits.

4 carrés d'agneau
Pour la marinade
12 cl (½ tasse) de sauce soja
6 cl (4 c. à s.) de sauce hoisin
2 c. à s. de vinaigre de vin blanc
2 c. à s. de saké doux
2 c. à s. de miel liquide
1 c. à c. d'ail semoule
1 c. à c. de piment en poudre
6 cl (4 c. à s.) de jus d'ananas

Dégraissez les carrés d'agneau. Mélangez les ingrédients de la marinade dans un grand plat et passez les carrés dedans pour les enrober. Couvrez de film alimentaire et laissez mariner une nuit au réfrigérateur.
Sortez les carrés de la marinade. Versez-la dans une petite casserole, portez à ébullition, réduisez le feu et laissez mijoter 5 min. Réservez-la pour en badigeonner la viande.
Préchauffez le barbecue à température moyenne à élevée. Posez les carrés d'agneau sur une grille huilée et faites-les cuire jusqu'à ce que la viande porte les marques noires de la grille (environ 3 min), en les badigeonnant de marinade. Retournez les carrés et prolongez la cuisson 2 ou 3 min. Déplacez-les sur une partie moins chaude du barbecue et laissez-les cuire jusqu'à ce qu'ils soient à point (de 4 à 8 min). Retirez la viande du feu, couvrez-la et laissez-la reposer 5 min. Servez tel quel ou avec la sauce de votre choix.

Voir variantes p. 150

Chevreau à la texane

Pour 6 à 8 personnes

Le chevreau est un mets apprécié de nombreux gourmets. Utilisez un jeune animal de lait ou, si vous préférez, un gigot d'agneau du printemps.

1 cuisseau de chevreau ou 1 gigot d'agneau du printemps, paré
4 c. à s. de moutarde forte

Pour la marinade sèche

4 c. à s. de poivre au citron
4 c. à s. de piment en poudre
2 c. à s. d'ail semoule
1 c. à c. de poivre de Cayenne

Pour la marinade du chevreau

33 cl (1 1/3 tasse) de bière
2 c. à s. de sauce Worcestershire
2 c. à s. de jus de citron
1 c. à s. de jus de citron vert
1 c. à s. de piment en poudre
1/2 c. à c. de poivre de Cayenne

Enduisez la viande de moutarde. Mettez les ingrédients de la marinade sèche dans un grand sachet refermable, fermez-le et secouez pour mélanger. Introduisez la viande dans le sachet et secouez pour l'enrober. Réservez une nuit au réfrigérateur.
Avant de faire griller la viande, mélangez les ingrédients de la marinade du chevreau. Préparez un barbecue ou un fumoir pour une cuisson indirecte. Sortez la viande du sachet (jetez la marinade sèche) et posez-la sur la grille. Faites-la fumer à 120 °C (250 °F), en la badigeonnant de marinade toutes les 25 min, pendant 2 à 3 h ou jusqu'à ce que la température interne atteigne 68 à 75 °C (155 à 165 °F).
Retirez la viande du gril, couvrez-la de papier d'aluminium et laissez-la reposer 10 à 15 min avant de la découper. Servez avec de la sauce barbecue.

Voir variantes p. 151

Variantes

Burgers de porc teriyaki

Recette de base p. 115

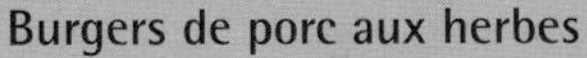

Burgers de porc aux herbes

Remplacez la sauce soja, le jus d'orange, le gingembre et la cassonade par 5 c. à s. de cognac, 1 c. à s. de sel de céleri, 2 c. à c. de sauge séchée, 2 c. à c. de romarin séché, 1 c. à c. de poivre du moulin, ½ c. à c. de thym séché, ½ c. à c. de sarriette séchée, ¼ de c. à c. de noix muscade râpée et 1 c. à c. d'huile végétale.

Burger de porc Nouvelle-Orléans

Remplacez la sauce soja, le jus d'orange, le gingembre et la cassonade par 2 c. à s. de paprika, 2 c. à s. d'ail semoule, 2 c. à s. de poivre du moulin, 1 c. à s. de sel de mer, 1 c. à s. de poivre de Cayenne, 1 c. à s. d'oignon semoule, 1 c. à s. d'origan séché, 1 c. à s. de thym séché, 1 ½ c. à c. de piment en poudre et 1 c. à c. de cumin en poudre.

Burgers canaille

Remplacez la sauce soja, le jus d'orange, le gingembre et la cassonade par 2 c. à c. de sel, 2 c. à c. de sucre, 2 c. à c. de moutarde sèche, 2 c. à c. de paprika, 2 c. à c. de coriandre moulue, 2 c. à c. de sauge séchée, 2 c. à c. de poivre du moulin, ¼ de c. à c. de romarin séché, ¼ de c. à c. de noix muscade râpée et ¼ de c. à c. de poivre de Cayenne.

Burgers à l'italienne

Remplacez la sauce soja, le jus d'orange, le gingembre et la cassonade par 2 c. à c. d'ail semoule, 1 c. à c. de graines de fenouil pilées, 1 c. à c. de coriandre moulue, 1 c. à c. de persil séché, 1 c. à c. de sel, 1 c. à c. d'oignon semoule, ½ c. à c. de poivre noir et ¼ de c. à c. de poivre de Cayenne.

Variantes

Travers de porc épicés

Recette de base p. 116

Travers de porc frottés aux épices
Remplacez la marinade par une marinade sèche : mélangez 50 g de cassonade, 2 c. à s. de sel assaisonné, ½ c. à c. de cannelle en poudre, 1 c. à c. de quatre-épices, 1 c. à c. de poivre noir, 1 c. à c. de cumin en poudre et 1 c. à c. de gingembre en poudre.

Travers de porc gourmands
Remplacez la marinade par une marinade sèche : mélangez 120 g de cassonade, 2 c. à s. de sel, 2 c. à s. de sel d'ail, 2 c. à s. de poivre noir, 2 c. à s. de paprika, 1 c. à s. de sel d'oignon, 1 c. à s. de sel de céleri, 1 c. à c. de moutarde sèche, 1 c. à c. d'oignon semoule et 1 c. à c. de basilic séché.

Travers de porc acidulés aux herbes sans sel
Remplacez la marinade par une marinade sèche : mélangez 120 g de sucre en poudre, 4 c. à s. de piment en poudre, 3 c. à s. de poivre noir fin, 1 c. à s. d'aneth ciselé, 1 c. à s. d'ail semoule, 1 c. à s. d'oignon semoule, 2 c. à s. de graines de céleri, 2 c. à s. de piment en poudre, 2 c. à s. de jus de citron, 1 c. à c. de basilic séché, 1 c. à c. de marjolaine séchée, 1 c. à c. de moutarde sèche, 1 c. à c. de poivre de Cayenne, 1 c. à c. de persil séché, 1 c. à c. de romarin séché et 1 c. à c. de sauge séchée.

Travers de porc au barbecue comme en Caroline
Remplacez la marinade par celle-ci : mélangez 25 cl (1 tasse) de vinaigre de cidre, 1 c. à s. de piment séché en poudre, 1 c. à s. d'ail haché, 1 c. à s. de sucre, 12 cl (½ tasse) d'eau, 2 c. à s. de moutarde sèche, 1 c. à c. de poivre noir du moulin et 1 c. à c. de thym séché.

Sandwich de porc au barbecue à l'allemande

Recette de base p. 119

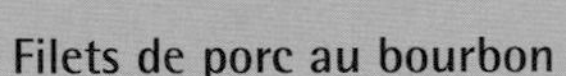

Filets de porc au bourbon

N'étalez pas de moutarde sur la viande. Faites mariner le porc 2 h dans le mélange suivant : 15 cl (10 c. à s.) de sauce soja, 12 cl (½ tasse) de bourbon, 6 cl (4 c. à s.) de sauce Worcestershire, 6 cl (4 c. à s.) d'eau, 6 cl (4 c. à s.) d'huile, 4 gousses d'ail écrasées, 3 c. à s. de sucre roux, 2 c. à s. de poivre noir du moulin, 1 c. à c. de sel et ½ c. à c. de gingembre en poudre.

Filets de porc à la coréenne

N'étalez pas de moutarde sur la viande. Faites mariner le porc 2 h dans le mélange suivant : 2 c. à s. de sucre, 5 c. à s. de sauce soja, 3 c. à s. de vinaigre de riz, 1 c. à s. de racine de gingembre râpée, 1 c. à s. d'huile de sésame, ½ c. à c. de piment séché en poudre et 4 gousses d'ail écrasées.

Filets de porc sauce pimentée au sirop d'érable

N'étalez pas de moutarde sur la viande. Faites mariner le porc 2 h dans le mélange suivant : 2 c. à c. de coriandre moulue, 1 c. à c. d'ail semoule, ½ c. à c. de gingembre en poudre, 1 c. à s. d'huile, du sel et du poivre. Servez avec une sauce pimentée au sirop d'érable : mélangez 2 c. à s. de vinaigre de xérès, 4 c. à s. de sirop d'érable et 2 c. à c. de sauce pimentée forte.

Filets de porc à la thaïe

N'étalez pas de moutarde sur la viande. Faites mariner le porc 2 h dans le mélange suivant : 6 cl (4 c. à s.) de jus d'orange, le zeste râpé de 1 orange, 2 c. à s. de coriandre fraîche, 2 gousses d'ail, 3 c. à s. de sucre roux, 2 c. à s. de persil frais, 2 c. à s. de sauce soja, 2 c. à s. de beurre de cacahouètes, 1 c. à s. de racine de gingembre râpée et 1 c. à c. de poivre de Cayenne.

Variantes

Côtelettes de porc au poivre noir et à la mélasse

Recette de base p. 120

Côtelettes de porc à l'espagnole
Supprimez le beurre à la mélasse et marinez les côtelettes 3 h dans ce mélange : 6 gousses d'ail écrasées, 1/4 de c. à c. d'origan séché, 1/4 de c. à c. de cumin grillé moulu, 12 cl (1/2 tasse) de jus d'orange, 2 oignons émincés, 6 cl (4 c. à s.) d'huile d'olive et 12 cl (1/2 tasse) de xérès. Sortez les côtelettes et les oignons de la marinade. Faites griller les oignons avec la viande.

Côtelettes de porc sauce au bleu
Supprimez le beurre à la mélasse et confectionnez une sauce au bleu : dans une casserole, mélangez 2 c. à s. de farine dans 4 c. à s. de beurre doux fondu. Versez 12 cl de lait et faites chauffer à feu doux jusqu'à épaississement. Ajoutez 1 c. à s. de persil ciselé, 1 c. à c. d'ail semoule, 1 c. à c. de sucre, 1 tomate pelée, épépinée et coupée en dés et 50 g de bleu émietté.

Côtelettes de porc à la pomme
Supprimez le beurre à la mélasse et préparez une marinade sèche : mélangez 1 c. à s. de poivre au citron, 1 c. à c. de fond de volaille et 1/4 de c. à c. de macis moulu. Servez les côtelettes de porc grillées avec une sauce à la pomme.

Côtelettes de porc au curry
Supprimez le beurre à la mélasse et faites mariner les côtelettes 2 h dans le mélange suivant : 6 cl (4 c. à s.) de sauce soja, 1 c. à s. d'ail semoule, 1 c. à s. de curry en poudre doux, 1 c. à s. de coriandre moulue, 1 c. à s. de poivre noir concassé et 1 c. à s. de sucre roux. Faites griller selon la recette de base.

Variantes

Grillades de porc Saint-Louis

Recette de base p. 123

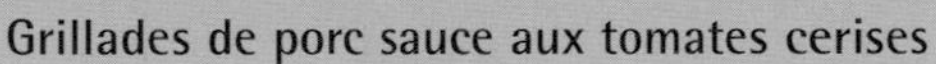

Grillades de porc sauce aux tomates cerises

Supprimez la préparation au vinaigre. Remplacez la sauce barbecue par celle-ci : faites cuire 10 min à feu doux 1 pot de 220 g de sauce aux tomates cerises, 1 c. à s. de sucre roux, 2 c. à s. de sauce Worcestershire, 2 c. à s. de vinaigre de vin blanc, 2 c. à s. de purée de tomate, 2 poivrons rouges épépinés et hachés, 1 c. à s. d'oignon semoule, 1 c. à s. de piment en poudre et 1 c. à c. de sel d'ail.

Grillades de porc piquantes

Supprimez la préparation au vinaigre. Assaisonnez avec un mélange composé de 2 c. à s. de sel d'ail, 1 c. à s. de sel d'oignon et 1 c. à s. de poivre au citron. Pour la sauce, mélangez 4 c. à s. de ketchup, 4 c. à s. de moutarde de Dijon, 2 c. à s. de moutarde et 2 c. à c. de piment en poudre.

Grillades de porc marinées au piment et salsa à l'avocat

Supprimez la préparation au vinaigre. Assaisonnez avec un mélange composé de 6 c. à s. de piment en poudre, 1 c. à s. de sucre, 1 c. à s. d'oignon semoule, 2 c. à c. de cumin en poudre, 2 c. à c. d'ail semoule, 2 c. à c. d'origan séché et 2 c. à c. de sel. Préparez la salsa : mélangez 45 cl (1 3/4 tasse) de sauce tomate pimentée avec 2 avocats hachés et 2 c. à s. de jus de citron vert.

Grillades de porc laquées à la sauce hoisin

Supprimez l'assaisonnement et la préparation au vinaigre. Remplacez la sauce barbecue par celle-ci : mélangez 12 cl (1/2 tasse) de sauce hoisin, 1 gousse d'ail écrasée, 1 c. à s. de vinaigre de cidre, 1 c. à s. de miel, 2 c. à c. de racine de gingembre râpée et 1 pincée de piment séché en poudre.

Variantes

Épaule de porc au barbecue

Recette de base p. 124

Épaule de porc du cow-boy
Remplacez la marinade Kansas City par celle-ci : mélangez 1 c. à s. de poivre noir du moulin, 2 c. à c. de sel de mer, 2 c. à c. de piment en poudre, 1 c. à c. de sucre, 1 c. à c. d'oignon semoule, 1 c. à c. d'ail semoule, 1 c. à c. de persil séché et 1 c. à c. d'origan séché.

Épaule de porc à la mode du Sud
Remplacez la marinade Kansas City par celle-ci : mélangez 3 c. à s. d'origan séché, 2 c. à s. d'ail semoule, 2 c. à s. de poivre noir du moulin, 2 c. à s. de piment fort en poudre et 2 c. à s. de sel.

Épaule de porc à la cassonade
Remplacez la marinade Kansas City par celle-ci : mélangez 4 c. à s. de cassonade, 1 c. à s. de sel d'ail, 1 c. à s. de poivre noir concassé, 1 c. à s. de paprika, 1 c. à s. de piment en poudre, 1 c. à c. de sel de céleri, 1/4 de c. à c. de quatre-épices et 1/4 de c. à c. de thym séché.

Épaule de porc épicée à la mode du Sud-Ouest
Remplacez la marinade Kansas City par celle-ci : mélangez 2 c. à s. de piment en poudre, 1 c. à s. de paprika, 1 c. à s. de paprika fort, 1 c. à s. d'origan séché, 1 c. à s. de poivre de Cayenne, 1 c. à s. d'ail semoule, 1 c. à s. de sel de mer, 2 c. à c. de cumin en poudre, 2 c. à c. de piment en poudre et 2 c. à c. de poivre noir du moulin.

Variantes

Porc country à la sauce barbecue

Recette de base p. 127

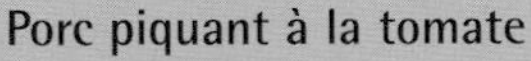

Porc piquant à la tomate

À la place de la marinade sèche et de la sauce, faites mariner le porc dans le mélange suivant, réduit en purée au mixeur : 12 cl (½ tasse) de vinaigre de vin rouge, 12 cl (½ tasse) d'huile d'olive, 220 g de sauce tomate, 4 ciboules hachées, 1 piment rouge frais (pédoncule et graines retirés), 3 c. à s. d'origan frais, 3 gousses d'ail écrasées, ½ c. à s. de sel et du poivre noir.

Porc au cidre

À la place de la marinade sèche, faites mariner le porc dans le mélange suivant : 2 c. à s. d'oignon semoule, 1 c. à s. de sel de mer, 1 c. à s. de poivre noir grossièrement moulu, 1 c. à s. d'ail semoule, 45 cl (1 ¾ tasse) de vinaigre de cidre, 45 cl (1 ¾ tasse) de cidre, 120 g de cassonade, 4 c. à s. de sauce Worcestershire et 2 c. à s. de piment séché en poudre.

Porc laqué à la chinoise

À la place de la marinade sèche et de la sauce, préparez un laquage : mélangez 4 c. à s. de sauce hoisin, 2 c. à s. de bouillon de volaille, 2 c. à s. de saké, 2 c. à s. de sauce soja, 1 gousse d'ail écrasée, 1 ½ c. à s. de miel, ¾ de c. à c. de sel de mer et quelques gouttes de colorant alimentaire rouge.

Porc country laqué à l'abricot

À la place de la marinade sèche et de la sauce, préparez un laquage : mélangez 3 c. à s. d'abricots en conserve, 1 c. à s. de ketchup, 2 piments rouges épépinés et hachés et 1 c. à c. de cumin en poudre. Laissez mijoter 15 min, puis badigeonnez-en le porc pendant qu'il grille.

Variantes

Rôti de porc à la polonaise

Recette de base p. 128

Rôti de porc tex-mex
Supprimez la saucisse et suivez la recette de base, en remplaçant la marinade sèche par le mélange suivant : 2 c. à s. de cassonade, 1 c. à s. d'ail semoule, 2 c. à c. de cumin en poudre, 2 c. à c. de piment en poudre, 2 c. à c. d'oignon semoule, 2 c. à c. de poivre noir du moulin et 2 c. à c. paprika.

Rôti de porc au bacon
Supprimez la saucisse et enveloppez le rôti de porc dans 220 g de lanières de bacon. Suivez la recette de base, en remplaçant la marinade sèche par le mélange suivant : 120 g de cassonade, 4 c. à s. de paprika, 2 c. à s. de sel assaisonné, 1 c. à s. de poivre noir, 1 c. à s. de poivre blanc, 1 c. à s. de poivre de Cayenne, 1 c. à s. de sel d'ail, 1 c. à s. de sel d'oignon, 1 c. à s. de moutarde sèche et 2 c. à c. de sauge séchée.

Rôti de porc en croûte de poivre
Supprimez la saucisse et suivez la recette de base, en remplaçant la marinade sèche par le mélange suivant : 4 c. à s. de grains de poivre concassés, 4 c. à s. de cassonade, 2 c. à s. de moutarde sèche, 2 c. à s. de sel de céleri, 2 c. à s. de sel d'ail et 1 c. à c. de piment en poudre.

Rôti de porc au romarin
Ne conservez que le rôti de porc. Badigeonnez-le de 12 cl (½ tasse) de vinaigre balsamique. Mélangez 2 c. à s. de sel d'ail, 2 c. à s. de poivre noir grossièrement moulu et 1 c. à s. de romarin ciselé. Saupoudrez le rôti de ce mélange avant de le cuire selon la recette de base.

Variantes

Côtes d'agneau à la dijonnaise

Recette de base p. 131

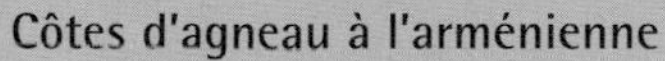

Côtes d'agneau à l'arménienne

Remplacez la préparation à la moutarde par une marinade : mélangez 1 oignon haché finement, 12 cl (½ tasse) de vin rouge, 3 c. à s. de persil plat ciselé, 2 c. à c. de menthe ciselée et 2 c. à c. de basilic frais. Laissez les côtes mariner 2 h et suivez la recette de base.

Côtes d'agneau au gingembre et au vin rouge

Remplacez la préparation à la moutarde par une marinade : mélangez 3 c. à s. d'huile d'olive, 2 c. à s. de vin rouge, 2 c. à s. de sauce soja, 2 gousses d'ail écrasées, 1 c. à s. de jus de citron, 1 c. à s. de racine de gingembre râpée, 1 ½ c. à c. d'oignon semoule, ¼ de c. à c. de poivre de Cayenne et 3 à 4 c. à s. d'eau tiède. Laissez les côtes mariner 2 h et suivez la recette de base.

Côtes d'agneau laquées à la pomme

Remplacez la préparation à la moutarde par une version à la pomme : dans une casserole, faites chauffer à feu doux 12 cl (½ tasse) de sauce à la pomme, 4 c. à s. de jus de citron et 6 cl (4 c. à s.) de sauce à steak. Salez et poivrez selon votre goût. Laquez les côtes avant de les faire griller selon la recette de base.

Côtes d'agneau marinées au piment

Remplacez la préparation à la moutarde par une marinade sèche au piment : mélangez 1 ½ c. à s. de piment en poudre, 2 c. à c. de cumin en poudre, 1 c. à c. de thym séché, 1 c. à c. de sucre, 1 c. à c. de poivre noir du moulin, ¾ de c. à c. de sel et ¼ de c. à c. de quatre-épices. Suivez la recette de base. Servez les côtes grillées accompagnées de gelée de groseille.

Variantes

Carré d'agneau tandoori

Recette de base p. 132

Carré d'agneau Arizona
Suivez la recette de base, en remplaçant le mélange d'épices par celui-ci : mélangez 120 g de beurre doux ramolli, 2 c. à c. de piment en poudre, 2 c. à c. de paprika, 1 c. à c. de cumin en poudre, 1 c. à c. d'ail semoule, ½ c. à c. d'oignon semoule, ½ c. à c. de paprika fumé, ½ c. à c. d'origan et ½ c. à c. de poivre noir du moulin.

Carré d'agneau au curry
Suivez la recette de base, en remplaçant le mélange d'épices par celui-ci : mélangez 2 c. à s. de sel de mer, 1 c. à s. de curry, 2 c. à c. d'oignon semoule, 1 c. à c. de poivre noir du moulin, 1 c. à c. d'ail semoule, 1 c. à c. de piment en poudre et 1 c. à c. de quatre-épices.

Carré d'agneau mariné laqué à la marmelade d'oranges
Supprimez le mélange d'épices. Mélangez 25 cl (1 tasse) d'huile d'olive, 2 c. à s. de sel d'ail, 1 c. à c. de thym séché, 1 c. à c. de romarin séché et 1 c. à c. de poivre noir. Faites-y mariner l'agneau 2 h. Dans une casserole, chauffez 200 g de marmelade d'oranges, 12 cl (½ tasse) de jus d'orange, 2 c. à s. de jus de citron, 1 c. à s. de triple sec, 2 pincées de sel de mer et 2 pincées de poivre blanc avec 2 c. à s. de beurre. En cours de cuisson, laquez la viande avec cette préparation.

Carré d'agneau laqué au miel
Remplacez le mélange d'épices par 2 c. à s. de poivre au citron et 1 c. à s. de sel d'ail. Dans un bol, mélangez 3 c. à s. de miel, 3 c. à s. de jus de citron, 3 c. à s. de sauce soja et 2 gousses d'ail écrasées. En cours de cuisson, laquez la viande avec cette préparation.

Variantes

Gigot d'agneau épicé à la broche

Recette de base p. 135

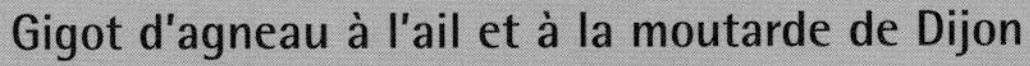

Gigot d'agneau à l'ail et à la moutarde de Dijon

Suivez la recette de base, en remplaçant la marinade par celle-ci : mélangez 12 cl (½ tasse) de moutarde de Dijon, 4 grosses gousses d'ail coupées chacune en 4 lamelles, 2 c. à s. de sel d'oignon et 1 c. à s. de poivre noir du moulin.

Gigot d'agneau au vinaigre balsamique et au romarin

Suivez la recette de base, en remplaçant la marinade par celle-ci : mélangez 6 cl (4 c. à s.) de vinaigre balsamique, 2 c. à s. de miel, 2 c. à c. d'huile d'olive, 2 c. à c. de romarin séché, 2 c. à c. d'ail semoule, 1 c. à c. de sel de mer et 1 c. à c. de poivre noir du moulin. Badigeonnez la viande de préparation avant cuisson.

Gigot d'agneau à la grecque

Suivez la recette de base, en remplaçant la marinade par celle-ci : mélangez 6 cl (4 c. à s.) de sauce Worcestershire, 2 c. à c. d'origan séché, 1 ½ c. à c. d'oignon semoule, 1 ½ c. à c. d'ail semoule, ½ c. à c. de cannelle en poudre, ½ c. à c. de noix muscade râpée, 1 c. à c. de sel de mer, 1 c. à c. de poivre noir du moulin, 1 c. à c. de fond de bœuf et 1 c. à c. de persil séché. Badigeonnez la viande de préparation avant cuisson.

Gigot d'agneau classique

Suivez la recette de base, en remplaçant la marinade par celle-ci : mélangez 6 cl (4 c. à s.) d'huile d'olive vierge extra, 2 c. à s. de sel de mer, 1 c. à s. de poivre noir du moulin, 1 c. à s. d'ail semoule et 1 c. à s. de romarin séché. Badigeonnez la viande de préparation avant cuisson.

Variantes

Carrés d'agneau grillés façon Denver

Recette de base p. 136

Carrés d'agneau à la provençale
Remplacez la marinade par celle-ci : mélangez 1 c. à s. de persil séché, 2 c. à c. d'ail semoule, 2 c. à c. d'oignon semoule, 2 c. à c. d'herbes de Provence, 1 c. à c. de poivre noir du moulin, 1 c. à c. de sel de mer et 1 c. à c. d'huile d'olive.

Carrés d'agneau épicés
Remplacez la marinade par celle-ci : mélangez 25 cl (1 tasse) de yaourt nature allégé, 2 c. à s. de moutarde forte, 2 grosses gousses d'ail écrasées, 1 c. à s. de sauce soja, 1 c. à s. de jus de citron et 1 c. à c. de poivre de Cayenne.

Carrés d'agneau sauce barbecue
Remplacez la marinade par celle-ci : mélangez 45 cl (1 3/4 tasse) de sauce barbecue, 12 cl (1/2 tasse) de vin blanc, 2 c. à s. d'huile, 1 c. à s. de sucre, 1 citron coupé en rondelles, 1 c. à c. de sel, 1/2 c. à c. de grains de poivre concassés, 1/2 c. à c. de thym frais et 1/2 c. à c. de baies de genièvre concassées.

Carrés d'agneau épicés Colorado
Remplacez la marinade par celle-ci : 12 cl (1/2 tasse) de cidre, 1 c. à s. de racine de gingembre râpée, 2 c. à s. d'huile végétale, 2 c. à s. de sauce soja et 2 c. à s. de miel. Préparez une sauce barbecue épicée pour accompagner la viande : mélangez 25 cl (1 tasse) de concentré de tomate, 25 cl (1 tasse) de vinaigre de cidre, 12 cl (1/2 tasse) de mélasse, 100 g de sucre roux, 6 cl (4 c. à s.) de sauce soja, 6 cl (4 c. à s.) de sauce Worcestershire, 2 c. à s. de moutarde blanche, 1 c. à c. de sel de mer, 1 c. à c. de poivre noir et 1/2 c. à c. de poivre de Cayenne.

Variantes

Chevreau à la texane

Recette de base p. 138

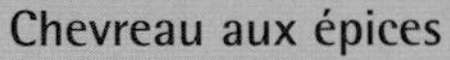

Chevreau aux épices

Remplacez la marinade sèche par celle-ci : mélangez 2 oignons râpés, 12 cl (½ tasse) de sauce soja, 6 grosses gousses d'ail écrasées, 1 c. à s. de feuilles de thym ciselées, 1 c. à s. de quatre-épices, 1 c. à s. de sel de mer, 2 c. à c. de poivre noir du moulin, 1 c. à c. de cannelle en poudre, ½ c. à c. de noix muscade râpée et 1 piment rouge frais épépiné et haché finement. Faites réduire les ingrédients dans 33 cl (1 ⅓ tasse) de bière et 6 cl (4 c. à s.) de jus de citron.

Chevreau Kansas City

Remplacez la marinade sèche par celle-ci : mélangez 2 c. à s. de sel de mer, 1 c. à s. de poivre noir du moulin, 1 c. à s. d'ail semoule, 1 c. à s. d'oignon semoule, 1 c. à s. de cumin en poudre et 1 c. à s. de poivre de Cayenne. Faites réduire les ingrédients dans 33 cl (1 ⅓ tasse) de bière et 6 cl (4 c. à s.) de jus de citron.

Chevreau barbecue

Remplacez la marinade sèche par celle-ci : mélangez 3 c. à s. de sel, 3 c. à s. de poivre et 1 c. à s. de paprika. Au lieu de la recette de base, badigeonnez la viande du mélange suivant : 5 gousses d'ail écrasées, 12 cl (½ tasse) d'huile végétale, 12 cl (½ tasse) de vinaigre de cidre, 6 cl (4 c. à s.) d'eau, 2 c. à s. de sauce Worcestershire, 2 feuilles de laurier et le jus de 2 citrons.

Chevreau à la Cooper

Remplacez la marinade sèche par celle-ci : mélangez 3 c. à s. de poivre noir du moulin, 2 c. à s. de sel de mer et 2 c. à c. de poivre de Cayenne.

Déclinaisons de bœuf

Rien de mieux que le gril pour rehausser la saveur naturelle du bœuf. Que vous ayez choisi de vous contenter d'un simple steak ou que vous soyez tenté par une succulente côte de bœuf, vous trouverez ici la recette qui satisfera vos papilles.

Poitrine de bœuf aux épices

Pour 8 personnes

Sous sa divine croûte de moutarde et d'épices, ce plat fond dans la bouche.

2 c. à c. d'ail semoule
1 c. à c. d'oignon semoule
½ c. à c. de poivre de Cayenne moulu
1 c. à c. de poivre noir du moulin
½ c. à c. de poivre blanc
½ c. à c. de sel de mer
2 c. à s. de sauce soja
2 c. à s. de vin blanc
2 c. à s. de sauce Worcestershire
200 g de moutarde de Dijon
200 g de sucre en poudre
1 c. à s. de sel assaisonné
1 c. à s. de sel d'ail
1 c. à s. de sel d'oignon
1 c. à s. de sel de céleri
2 c. à s. de paprika
1 c. à s. de piment en poudre
1 c. à c. de gingembre en poudre
1 c. à c. de piment doux en poudre
½ c. à c. de quatre-épices
½ c. à c. de moutarde sèche
1,8 à 3,6 kg de poitrine de bœuf

Mettez l'ail et l'oignon semoule, les trois poivres et le sel dans un saladier. Ajoutez la sauce soja, le vin blanc, la sauce Worcestershire et mélangez au fouet avant d'incorporer la moutarde. Couvrez et réservez.
Mélangez le reste des assaisonnements pour réaliser une marinade sèche. Réservez.
Dégraissez la poitrine, en laissant une couche de gras de 3 à 5 mm. Enduisez la face maigre de préparation à la moutarde, puis saupoudrez de marinade sèche. Répétez l'opération de l'autre côté et sur les côtés.
Préchauffez un barbecue couvert ou un fumoir. Posez la poitrine sur le gril et laissez fumer de 8 à 12 h, ou jusqu'à ce qu'une brochette pénètre facilement dans la viande.

Voir variantes p. 180

Carne asada

Pour 6 personnes

Ce plat traditionnel mexicain est idéal pour un repas pris à l'extérieur un soir d'été.

12 cl (1/2 tasse) de tequila
4 c. à s. de jus de citron vert
4 c. à s. de jus de citron
4 c. à s. de jus d'orange
4 gousses d'ail écrasées
1 oignon râpé
1 c. à c. de poivre noir du moulin
Tabasco
900 g de flanchet ou de culotte de bœuf
12 galettes de maïs
25 cl (1 tasse) de salsa
25 cl (1 tasse) de guacamole
Garniture : brins de persil, piment grillé ou sauce pour tacos

Mélangez la tequila, les jus d'agrumes, l'ail, l'oignon, le poivre et du Tabasco dans un plat creux. Réservez 6 cl (4 c. à s.) de cette marinade. Posez le bœuf dans le plat, couvrez et laissez mariner 4 h ou, mieux, toute une nuit, en retournant la viande de temps en temps.
Préchauffez le gril à température moyenne. Versez quelques gouttes d'eau sur chaque galette de maïs, empilez-les et enroulez-les dans du papier d'aluminium épais. Posez-les sur le gril. Sortez la viande du plat. Posez-la sur le gril et faites-la cuire selon votre goût (entre 12 et 15 min pour une cuisson à point). Retournez-la une fois en cours de cuisson et badigeonnez-la de marinade réservée. Retournez également les galettes de maïs. Coupez la viande en tranches fines, en travers des fibres.
Disposez quelques tranches de bœuf sur chaque galette de maïs ainsi que de la salsa et du guacamole. Garnissez de persil et servez avec du Tabasco, un piment grillé ou de la sauce pour tacos.

Voir variantes p. 181

T-bone steaks

Pour 4 à 6 personnes

Le T-bone steak, avec son os en « T », contient à la fois du filet et de l'aloyau, ce qui en fait un morceau particulièrement tendre et goûteux.

2 T-bone steaks de 900 g chacun
1 c. à s. de gros sel
1 c. à s. de poivre noir grossièrement moulu
2 c. à s. de beurre doux
25 cl (1 tasse) de bière blonde légère dégazée
2 c. à s. de sauce Worcestershire

Salez et poivrez généreusement les steaks, couvrez et laissez reposer entre 30 et 45 min à température ambiante.
Faites fondre le beurre dans une petite casserole sur feu moyen. Retirez la casserole du feu, versez la bière et la sauce Worcestershire en mélangeant. Réservez cette sauce.
Préparez le gril pour une cuisson à deux températures, d'abord chaude puis moyenne.
Faites griller les steaks non couverts 3 min sur chaque face, en maintenant les parties les plus fines et les plus tendres éloignées de l'endroit le plus chaud. Retournez les steaks, passez sur chaleur moyenne et poursuivez la cuisson 3 ou 4 min sur chaque face pour une viande à point. Les steaks doivent être retournés au moins trois fois (plus souvent si du jus commence à se former en surface). Si vous cuisez à couvert, faites d'abord saisir les deux faces des steaks non couverts 3 min sur feu chaud. Terminez la cuisson à couvert sur feu moyen pendant 5 à 7 min, en retournant la viande à mi-cuisson. Posez les steaks sur un plat de service et recouvrez-les de sauce à la bière. À table, désossez-les et coupez-les en fines tranches. Servez chaud, en arrosant chaque portion de quelques cuillerées de jus de viande et de sauce à la bière.

Voir variantes p. 182

Véritables hamburgers

Pour 4 personnes

Un hamburger traditionnel, dans toute sa simplicité et avec tout son goût d'origine.

8 tranches de bacon
200 g de mie de pain fraîche
4 c. à s. de lait entier
700 g de bœuf haché maigre
1 c. à c. de sel de mer
1 c. à s. de poivre noir du moulin, ou plus selon votre goût
2 grosses gousses d'ail écrasées
4 pains à hamburger
Garniture : rondelles de tomate et d'oignon, feuilles de laitue

Faites frire le bacon sur feu moyen jusqu'à ce qu'il soit croustillant. Égouttez-le sur du papier absorbant. Versez 3 c. à s. de la graisse fondue dans un bol et réservez le bacon au réfrigérateur le temps de préparer les burgers.

Mettez la mie de pain dans un bol, ajoutez le lait et laissez gonfler 5 min. Écrasez le tout à la fourchette pour obtenir une pâte lisse. Mettez la viande dans un saladier, ajoutez le sel, le poivre, l'ail, la mie détrempée et la graisse de bacon réservée. Pétrissez délicatement à la main en formant une boule.

Divisez la préparation à la viande en 4 pâtons plats d'environ 2 cm (3/4 po) d'épaisseur. Faites cuire les burgers sur le gril préchauffé à température élevée pour lui conférer ce goût de grillade caractéristique, jusqu'à ce que les deux faces soient saisies : de 4 à 5 min par face pour une cuisson à point, plus ou moins longtemps si vous le souhaitez. Ne pressez pas les burgers
en cours de cuisson. Garnissez-en les pains et servez avec le bacon réservé, des rondelles de tomate et d'oignon, des feuilles de laitue ou tout accompagnement de votre choix.

Voir variantes p. 183

T-bone steaks au poivre marinés à la bière

Pour 4 personnes

Faire mariner le steak dans de la bière l'attendrit tout en exaltant sa saveur.

1 oignon râpé
15 cl (10 c. à s.) de bière dégazée
15 cl (10 c. à s.) de sauce pimentée
2 c. à s. de persil ciselé
3 c. à s. de moutarde de Dijon
1 c. à s. de sauce Worcestershire
1 c. à s. de cassonade
1 c. à c. de paprika
½ c. à c. de poivre noir du moulin
4 T-bone steaks de 300 à 350 g
Sel de mer
1 c. à s. de poivre noir concassé, ou plus selon votre goût
Herbes fraîches ciselées (facultatif)

Dans un saladier, mélangez l'oignon, la bière, la sauce pimentée, le persil, la moutarde, la sauce Worcestershire, la cassonade, le paprika et le poivre. Déposez les steaks dans cette marinade. Couvrez et réservez au réfrigérateur de 4 à 6 h ou, mieux, toute une nuit, en retournant la viande de temps en temps.
Sortez les steaks de la marinade. Saupoudrez les deux faces de sel de mer et de poivre concassé.
Préchauffez le barbecue. Faites griller les steaks de 5 à 7 min sur le gril non couvert, sur chaleur directe et à température moyenne. Retournez-les et faites griller jusqu'à la cuisson désirée, soit 7 à 10 min pour une viande à point. Si vous le souhaitez, garnissez la viande d'herbes fraîches ciselées.

Voir variantes p. 184

Steaks d'aloyau marinés grillés

Pour 4 personnes

Les saveurs simples de cette marinade ne masquent pas la finesse du steak d'aloyau.

4 steaks d'aloyau de 2,5 cm (1 po) d'épaisseur dégraissés
4 c. à s. de vinaigre balsamique
2 c. à s. de purée de tomates
2 grosses gousses d'ail écrasées
1 c. à s. de feuilles de thym
1 c. à s. de feuilles d'origan
1 c. à s. de sel de mer, ou plus selon votre goût
1 c. à c. de poivre noir du moulin

Mettez les steaks dans un plat creux. Mélangez les autres ingrédients et étalez la préparation obtenue sur les deux faces de chaque steak. Laissez reposer 30 min à température ambiante, ou bien couvrez et réservez jusqu'à 8 h au réfrigérateur. Sortez les steaks de la marinade. Préchauffez le gril à température moyenne. Faites griller les steaks à 10 cm de la source de chaleur, 4 min sur chaque face pour une cuisson à point, ou jusqu'au degré de cuisson souhaité.
Découpez les steaks en fines tranches et servez immédiatement.

Voir variantes p. 185

Romstecks au vinaigre balsamique

Pour 4 personnes

Laissez mariner les romstecks pour les attendrir, puis faites-les cuire brièvement et servez-les saignants ou à point.

50 cl (2 tasses) de vinaigre balsamique
12 cl (½ tasse) de sauce Worcestershire
200 g de cassonade
Sel de mer
4 romstecks de 180 à 220 g
Poivre du moulin

Mélangez 40 cl (1 ⅔ tasse) de vinaigre balsamique avec la sauce Worcestershire, la cassonade et 1 c. à s. de sel jusqu'à dissolution du sucre. Mettez les romstecks dans un sachet en plastique refermable. Versez la marinade dessus, refermez le sachet et retournez-le pour imprégner la viande. Laissez-la mariner 3 à 4 h. Pendant ce temps, versez le reste du vinaigre balsamique dans une casserole. Portez à ébullition et faites réduire de moitié. Laissez refroidir, le vinaigre continuera d'épaissir.

Préchauffez le barbecue. Sortez les romstecks de la marinade. Salez-les, poivrez-les et posez-les sur le gril préchauffé à température élevée. Faites-les griller à température élevée environ 3 min sur chaque face, en les badigeonnant de vinaigre balsamique épaissi à mi-cuisson. Retirez les romstecks du gril et coupez-les en tranches fines en biais. Disposez les tranches en éventail sur des assiettes chaudes et servez.

Voir variantes p. 186

Filets de bœuf au fromage et aux herbes

Pour 4 personnes

Le filet de bœuf se prête particulièrement bien à la cuisson au barbecue, car il reste tendre et fondant.

2 c. à s. de fromage frais
2 c. à s. de bleu émietté
1 c. à s. de yaourt nature
1 c. à s. d'oignon râpé
2 c. à c. de poivre noir du moulin
4 filets de bœuf de 220 g
1 grosse gousse d'ail coupée en deux
Spray de cuisson
1 c. à c. de sel de mer
1 c. à c. de poivre noir du moulin
2 c. à c. de persil ciselé

Mélangez le fromage frais, le bleu, le yaourt, l'oignon et le poivre dans un saladier. Réservez. Frottez d'ail les deux faces des filets de bœuf. Vaporisez du spray de cuisson sur la viande, salez et poivrez.
Préchauffez le barbecue. Faites griller les filets 5 ou 6 min sur chaleur moyenne. Retournez-les et poursuivez la cuisson 3 ou 4 min. Posez un peu de mélange au fromage sur chaque filet et laissez-les griller encore 1 ou 2 min. Garnissez de persil et servez chaud.

Voir variantes p. 187

Culotte de bœuf grillée à l'aïoli

Pour 4 personnes

L'aïoli, une mayonnaise provençale à l'ail riche et parfumée, se marie parfaitement avec le bœuf.

800 g de culotte de bœuf ou de flanchet épais, sans les tendons
12 cl (1/2 tasse) de vinaigre de vin rouge
2 gousses d'ail écrasées
2 c. à c. d'huile d'olive
Spray de cuisson

Pour l'aïoli
7 grosses gousses d'ail
2 gros jaunes d'œufs
2 c. à c. de vinaigre de xérès
12 cl (1/2 tasse) d'huile d'olive vierge extra
Sel de mer
Poivre noir du moulin

Mettez le bœuf dans un sachet en plastique refermable avec le vinaigre, l'ail et l'huile. Secouez pour bien enrober la viande. Laissez mariner au réfrigérateur entre 4 et 8 h ou, mieux, toute une nuit.
Préparez l'aïoli : passez l'ail et les jaunes d'œufs au mixeur jusqu'à ce que l'ail soit finement haché. Ajoutez le vinaigre et mélangez. En laissant le mixeur tourner, versez l'huile en filet pour faire épaissir la préparation. Versez-la dans un bol et assaisonnez-la à votre goût. Réservez au réfrigérateur jusqu'au moment de servir.
Préchauffez le barbecue. Sortez le bœuf de la marinade. Vaporisez du spray de cuisson sur la viande et faites-la griller sur chaleur moyenne de 4 à 6 min par face, jusqu'à ce qu'elle soit à point. Retirez-la du gril et laissez-la reposer 5 min. Découpez la viande en travers des fibres et servez immédiatement, avec l'aïoli.

Voir variantes p. 188

Steaks et beurre à la béarnaise

Pour 4 personnes

Ce beurre accompagne classiquement les viandes grillées.

3 échalotes finement hachées
4 c. à s. de vinaigre de vin
4 c. à s. de vin blanc
1 c. à c. d'estragon séché
220 g de beurre doux ramolli
1 c. à c. de persil séché
½ c. à c. de sel de mer
800 g de viande pour steak au choix

Mélangez les échalotes, le vinaigre, le vin et l'estragon dans une petite casserole. Portez à ébullition et faites réduire jusqu'à épaississement. Laissez refroidir. Ajoutez le beurre, le persil et le sel en mélangeant pour obtenir une préparation homogène. Enrobez-la de film alimentaire et façonnez-la en cylindre. Mettez-la au réfrigérateur ou au congélateur. Coupez des tranches de beurre à la béarnaise juste avant de poser les steaks sur le gril. Déposez-les sur la viande cuite pendant qu'elle repose afin qu'elles fondent dessus. Selon la taille de votre cylindre, les tranches auront de 5 à 10 mm (¼ po à ½ po) d'épaisseur.

Voir variantes p. 189

Aloyau grillé tout simplement

Pour 4 personnes

L'assaisonnement le plus simple est souvent le meilleur, laissant aux saveurs des steaks de première qualité la possibilité de s'exprimer.

4 steaks d'aloyau de 2,5 cm d'épaisseur
1 c. à s. de sel de mer
1 c. à s. de poivre noir du moulin

Salez et poivrez les steaks sur toute leur surface. Laissez-les reposer 30 min à température ambiante, couverts.
Préchauffez le barbecue. Faites griller la viande à température élevée sur le gril préchauffé, de 8 à 10 min par face pour une cuisson à point. Tournez les steaks de 45° au bout de 3 min pour obtenir un quadrillage.
Retirez la viande du gril, couvrez-la de papier d'aluminium et laissez-la reposer 10 min avant de servir.

Voir variantes p. 190

Plat de côtes de bœuf au barbecue

Pour 4 personnes

Le plat de côtes de bœuf est particulièrement savoureux. Pour le servir, découpez-le simplement entre les côtes.

Pour la marinade sèche

2 c. à c. de poivre noir du moulin
1 c. à s. de sel d'ail
1 c. à s. de sel d'oignon
1 c. à s. de paprika doux
1 c. à c. de poivre de Cayenne, ou plus selon votre goût
800 à 900 g de plat de côtes de bœuf

Pour la sauce

6 cl (4 c. à s.) d'huile végétale
6 cl (4 c. à s.) de jus de citron
2 c. à s. de ketchup
1 c. à c. de poivre noir du moulin
1 c. à c. de moutarde sèche

Mélangez les ingrédients de la marinade sèche. Assaisonnez-en la viande sur les deux faces.
Préparez la sauce : mélangez tous les ingrédients dans une petite casserole et faites chauffer 10 min à feu doux ou réduit.
Faites cuire la viande sur chaleur indirecte entre 110 et 120 °C (230-250 °F), de 2 à 4 h selon la taille des morceaux. Retournez-la à mi-cuisson et badigeonnez-la légèrement de sauce. Poursuivez la cuisson jusqu'à ce que les côtes soient tendres, en continuant de les badigeonner de sauce de temps en temps. La viande est cuite lorsqu'on peut la piquer facilement au couteau.

Voir variantes p. 191

Paleron à la diable

Pour 4 à 6 personnes

Le paleron demande une cuisson lente et délicate, et le fait de le faire mariner toute une nuit comme proposé ici le rend encore plus tendre.

2 tranches de paleron ou de bœuf à braiser de 450 à 600 g (environ 2 cm [3/4 po] d'épaisseur)
Attendrisseur
25 cl (1 tasse) de fond de bœuf
55 g de cassonade
2 c. à s. de jus de citron
2 c. à s. de sauce Worcestershire
2 c. à s. de moutarde blanche
1 c. à c. d'ail semoule
1 c. à c. de poivre noir du moulin
1/2 c. à c. de curry
1/2 c. à c. de poivre de Cayenne
1/4 de c. à c. de laurier en poudre

Dégraissez les tranches de paleron. Préparez-les avec l'attendrisseur, couvrez-les et laissez-les 1 h au réfrigérateur.
Mélangez le reste des ingrédients dans un bol et réservez. Mettez la viande dans un grand sachet en plastique refermable et versez-y les trois quarts de la marinade. Refermez et laissez mariner au réfrigérateur entre 4 et 6 h ou toute une nuit.
Préchauffez le barbecue. Sortez la viande de la marinade. Posez-la sur le gril préchauffé à température moyenne. Faites-la griller 35 min pour une cuisson saignante ou jusqu'au degré de cuisson souhaité, en la retournant de temps en temps. Badigeonnez-la régulièrement avec le reste de marinade. Retirez la viande du gril, posez une feuille d'aluminium dessus et laissez-la reposer de 5 à 10 min avant de servir.

Voir variantes p. 192

Faux-filet à l'argentine

Pour 4 personnes

Personne ne cuisine mieux le bœuf que les Argentins, et cette méthode assure un résultat tout à fait réussi.

4 tranches de faux-filet de 2,5 cm (1 po) d'épaisseur
1 c. à c. de sel de mer, ou plus selon votre goût
1 c. à c. de poivre noir du moulin, ou plus selon votre goût
3 c. à s. d'huile d'olive
3 c. à s. de persil plat ciselé
1 c. à s. d'origan ciselé
3 ou 4 gousses d'ail finement hachées
1 c. à c. de poivre de Cayenne

Salez et poivrez les tranches de faux-filet selon votre goût. Préchauffez le barbecue, puis faites griller la viande non couverte sur chaleur directe et à température moyenne jusqu'au degré de cuisson désiré, en la retournant une fois. Faites cuire de 8 à 10 min pour une cuisson à point ou 12 à 15 min pour une viande bien cuite.
Pendant ce temps, préparez la sauce : mélangez l'huile d'olive, le persil, l'origan, l'ail et le poivre de Cayenne. Versez des cuillerées de sauce sur les faux-filets pendant les 2 dernières minutes de cuisson.

Voir variantes p. 193

Bavette grillée à la chilienne

Pour 6 personnes

La bavette est un morceau goûteux, que la saveur de cette marinade rend encore plus appétissant. Utilisez une tranche épaisse de flanchet ou de romsteck si vous préférez.

900 g de bavette
25 cl (1 tasse) de jus de citron vert (environ 8 citrons)

Pour la marinade sèche

2 c. à s. de cumin en poudre grillé
1 c. à s. d'ail semoule
4 c. à s. de coriandre séchée
Sel de mer
Poivre noir du moulin

Pour la sauce

75 g d'olives vertes dénoyautées hachées
1 c. à c. de piments séchés en poudre, ou plus selon votre goût
4 c. à s. d'huile d'olive
2 c. à s. de poivre noir du moulin

Posez la bavette dans un plat creux et versez le jus de citron vert dessus. Couvrez le plat et laissez au réfrigérateur de 30 min à 1 h, en retournant la viande de temps en temps. Mettez tous les ingrédients de la marinade sèche dans un bol et mélangez. Sortez la bavette du plat, séchez-la avec du papier absorbant et frottez-la avec la marinade sèche en pressant pour qu'elle adhère.

Préchauffez le barbecue et faites griller la viande à température moyenne, 4 ou 5 min par face pour une cuisson à point. Retirez-la du feu, posez une feuille d'aluminium dessus et laissez-la reposer 5 min, le temps de préparer la sauce.

Mettez tous les ingrédients de la sauce dans un grand bol et mélangez. Coupez la bavette en biais en tranches aussi fines que possible, en travers des fibres. Servez avec la sauce, des galettes de maïs chaudes, du riz et des haricots rouges.

Voir variantes p. 194

Côtes de veau grillées au romarin

Pour 6 personnes

Le veau cuisiné avec du vin et du romarin réunit les saveurs de la Toscane, tandis que le parfum qui s'en exhale pendant la cuisson est tout simplement incomparable.

12 cl (½ tasse) d'huile d'olive
6 cl (4 c. à s.) de vin rouge sec
2 c. à s. de romarin ciselé
4 grosses gousses d'ail écrasées
½ c. à c. de sel de mer
½ c. à c. de poivre noir du moulin
6 côtes de veau de 220 g chacune (2 à 2,5 cm [¾ po à 1 po] d'épaisseur)
Brins de romarin

Fouettez l'huile, le vin, le romarin, l'ail, le sel et le poivre dans un plat creux. Mettez-y les côtes de veau et retournez-les pour les enrober de marinade. Laissez reposer 1 h à température ambiante ou 4 h au réfrigérateur, en retournant de temps en temps la viande. Préchauffez le gril à température moyenne. Sortez les côtes de la marinade en les secouant pour les égoutter. Salez et poivrez. Faites-les griller jusqu'à la cuisson désirée, en les retournant une fois. Il faut environ 4 min de cuisson par face pour une viande à point. Disposez le veau sur un plat. Garnissez avec les brins de romarin et servez.

Voir variantes p. 195

Côte de bœuf au barbecue

Pour 4 personnes

Avec cette marinade sèche, la côte de bœuf prend une saveur inégalable. Soyez certain qu'il n'en restera pas !

3 c. à s. de sel de mer
1/4 de c. à c. de poivre de Cayenne
1/2 c. à c. de poivre noir
1/2 c. à c. d'ail semoule
1/2 c. à c. d'oignon semoule
1/2 c. à c. de paprika
1/2 c. à c. de cumin en poudre
1,8 kg de côte de bœuf
Sauce barbecue

Mélangez tous les ingrédients dans un petit saladier, à l'exception de la viande et de la sauce barbecue. Frottez la côte de bœuf avec cette marinade sèche.
Placez un plat jetable en aluminium sous la grille du barbecue et huilez la grille pour l'empêcher d'adhérer à la viande. Préchauffez le gril à température élevée. Posez la côte au-dessus du plat en aluminium, couvrez et réduisez sur feu doux. En cours de cuisson, badigeonnez la côte de la sauce de votre choix : une fois à mi-cuisson, une seconde fois 10 min plus tard.
Une côte de taille moyenne est saignante au bout de 25 à 30 min, à point au bout de 35 à 40 min et bien cuite au bout de 45 à 50 min. Ajustez ce temps de cuisson en fonction du gril utilisé et de l'épaisseur de la côte de bœuf.

Voir variantes p. 196

Rôti d'aloyau grillé

Pour 4 personnes

Très savoureux et peu gras, l'aloyau présente le meilleur rôti à cuire au barbecue. Avec cette marinade sèche, vous obtiendrez un plat des plus goûteux en toute simplicité.

1 c. à s. d'ail semoule
1 c. à s. d'oignon semoule
1 c. à s. de paprika
1 c. à s. de poivre noir grossièrement moulu
1 c. à s. de sel de mer
1,3 à 1,8 kg de rôti d'aloyau

Préparez une marinade sèche en mélangeant tous les ingrédients à l'exception de la viande. Huilez légèrement la grille du barbecue. Préchauffez-le et préparez-le pour une cuisson directe ou indirecte. Frottez le rôti de marinade sèche et posez-le sur le gril, gras au-dessus. Placez un plat en métal dessous pour recueillir le jus, avec lequel vous pourrez confectionner une sauce délicieuse.

Réglez le gril sur température basse et faites cuire le rôti 4 h, ou bien jusqu'à ce que la température interne atteigne 63 °C (145 °F) pour une viande à point ou 75 °C (165 °F) pour une viande bien cuite. Si vous optez pour la cuisson directe, faites cuire le rôti couvert à température moyenne en le retournant toutes les 15 à 20 min jusqu'à ce qu'il atteigne la température désirée.

Voir variantes p. 197

Variantes

Poitrine de bœuf aux épices

Recette de base p. 153

Poitrine marinée à la façon de Jack
Remplacez la marinade sèche par celle-ci : mélangez 4 c. à s. de sel, 2 c. à s. de sucre en poudre, 2 c. à s. de sucre roux, 2 c. à c. de moutarde sèche, 2 c. à c. d'oignon semoule, 2 c. à c. d'ail semoule, 2 c. à c. de basilic séché, 1 c. à c. de poivre noir, 3/4 de c. à c. de coriandre séchée, 1/2 c. à c. de sarriette séchée et 1/2 c. à c. de cumin en poudre.

Poitrine marinée à la texane
Remplacez la marinade sèche par celle-ci : mélangez 4 c. à s. de poivre noir grossièrement moulu, 3 c. à s. de sel de mer, 2 c. à s. de paprika et 1 c. à s. de poivre de Cayenne.

Poitrine marinée à la mode de Kansas City
Remplacez la marinade sèche par celle-ci : mélangez 4 c. à s. de paprika, 2 c. à s. de piment en poudre, 1 c. à s. de poivre noir moulu, 1 c. à s. de poivre blanc moulu, 1 c. à s. de sucre en poudre, 1 c. à s. de cumin en poudre, 1 c. à s. d'ail semoule, 1 c. à s. de cassonade, 1 c. à s. d'origan séché, 1 c. à s. de sel de céleri, 2 c. à c. de poivre de Cayenne et 1 c. à c. de moutarde séchée.

Poitrine marinée Stu Carpenter
Remplacez la marinade sèche par celle-ci : mélangez 2 c. à s. de poivre noir du moulin, 2 c. à s. de cassonade, 2 c. à s. de paprika, 1 c. à s. de sel de mer, 2 c. à s. d'ail semoule, 1 c. à c. de piment en poudre, 1 c. à c. d'oignon semoule, 1 c. à c. de cumin en poudre, 1 c. à c. de sucre en poudre, 1/2 c. à c. de moutarde séchée et 1/2 c. à c. de piment doux en poudre.

Variantes

Carne asada

Recette de base p. 154

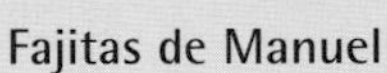

Fajitas de Manuel

Remplacez la marinade par celle-ci : mélangez 12 cl (½ tasse) de sauce soja, 12 cl (½ tasse) de jus de citron, 220 g de cassonade, 1 c. à s. d'oignon semoule, 1 c. à s. d'ail semoule et 1 c. à s. de gingembre en poudre. Garnissez les galettes de maïs de tranches de viande grillée et roulez-les.

Fajitas grillées West Texas

Remplacez la marinade par celle-ci : mélangez 12 cl (½ tasse) de jus de citron vert, 6 cl (4 c. a. s.) de vinaigre de vin rouge, 2 c. à s. de sauce soja, 2 c. à s. de piment en poudre, 2 c. à s. de cumin en poudre, 2 c. à s. de mélasse, 2 c. à s. de coriandre ciselée, 4 grosses gousses d'ail écrasées et 1 c. à c. de poivre moulu. Garnissez les galettes de maïs de tranches de viande grillée et roulez-les.

Fajitas Bichelmeyer

Remplacez la marinade par celle-ci : mélangez 4 grosses gousses d'ail écrasées, 1 piment rouge frais épépiné et finement haché, 12 cl (½ tasse) d'huile, 6 cl (4 c. à s.) de jus de citron vert, 6 cl (4 c. à s.) de vinaigre de cidre et 1 c. à s. de sucre. Garnissez les galettes de maïs de tranches de viande grillée et roulez-les.

Carne asada au citron vert

Remplacez la marinade par celle-ci : mélangez 25 cl (1 tasse) de jus de citron vert, 12 cl (½ tasse) d'huile d'olive et un petit bouquet de coriandre (feuilles et tiges) ciselée. Garnissez les galettes de maïs de tranches de viande grillée et roulez-les..

Variantes

T-bone steaks

Recette de base p. 157

T-bone steaks à la sauce ail-champignons

Suivez la recette de base, en remplaçant le mélange bière-beurre par une sauce ail-champignons : faites revenir à la poêle 450 g de champignons émincés, 3 grosses gousses d'ail écrasées et 1 c. à s. d'huile, jusqu'à ce que les champignons soient tendres. Ajoutez 3 c. à s. de beurre, 3 c. à s. de farine et 35 cl (1 1/3 tasse) de bouillon de bœuf en fouettant.

T-bone steaks grillés à l'ail façon sud-américaine

Suivez la recette de base, en remplaçant le mélange bière-beurre par une marinade : mélangez 25 cl (1 tasse) de vinaigrette italienne, 25 cl (1 tasse) de sauce barbecue, 12 cl (1/2 tasse) de sauce Worcestershire et 2 grosses gousses d'ail écrasées. Laissez les steaks mariner 2 h.

T-bone steaks marinés grillés

Suivez la recette de base, en remplaçant le mélange bière-beurre par une marinade : mélangez 6 cl (4 c. à s.) d'huile d'olive, 2 c. à s. d'ail écrasé, 2 c. à s. de vinaigre balsamique, 2 c. à s. de jus de citron et les feuilles finement ciselées d'un brin de romarin. Laissez les steaks mariner 2 h.

T-bone steaks sauce au bourbon et à l'échalote

Suivez la recette de base, en remplaçant le mélange bière-beurre par une marinade : mélangez 12 cl (1/2 tasse) de moutarde au miel, 12 cl (1/2 tasse) de bourbon, 2 échalotes finement hachées et du sel selon votre goût. Laissez les steaks mariner 2 h.

Variantes

Véritables hamburgers

Recette de base p. 158

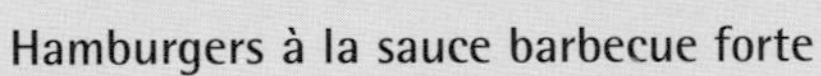

Hamburgers à la sauce barbecue forte

Préparez une sauce pour les hamburgers : faites mijoter 10 min à feu doux 25 cl (1 tasse) de ketchup, 4 c. à s. de vinaigre blanc, 3 c. à s. de sauce Worcestershire, 3 c. à s. de cassonade, 2 c. à s. d'eau et 2 c. à s. de sauce au raifort. Mélangez bien et servez chaud.

Hamburgers grillés diététiques

Supprimez les ingrédients des burgers et le bacon. Remplacez-les par le mélange suivant : 200 g de cuisse de dinde hachée, 200 g de miettes de pain sec, 200 g de tofu velouté, 200 g de carottes râpées, 1 poignée de cresson ciselé, 1 petit oignon haché, du sel et du poivre.

Hamburgers au piment vert du Nouveau-Mexique

Supprimez la garniture. À la place, disposez dans chaque hamburger des tranches de cheddar, des piments verts en conserve, des rondelles d'oignon rouge et de tomate, des feuilles de laitue et de la salsa fraîche.

Hamburgers façon brasserie

Supprimez les tranches de bacon et la garniture. Surmontez les burgers de noix, de gruyère et d'une mayonnaise à l'ail et à la moutarde. Servez-les sur des petits pains.

Hamburgers suprêmes à l'agneau

Supprimez le bacon et l'ail. Remplacez le bœuf haché par de l'agneau maigre haché et 1 ½ c. à c. de menthe séchée. Garnissez comme dans la recette de base.

Variantes

T-bone steaks au poivre marinés à la bière

Recette de base p. 161

T-bone steaks aux oignons grillés façon cow-boy
Supprimez la marinade à la bière. Servez les steaks grillés avec 4 oignons rouges émincés et grillés, 25 cl (1 tasse) de sauce barbecue et 4 tomates coupées en rondelles et grillées.

T-bone steaks « salut la compagnie »
Remplacez la marinade par celle-ci : mélangez 25 cl (1 tasse) de vin rouge, 25 cl (1 tasse) de sauce Worcestershire, 2 c. à s. de cassonade et 1 c. à s. de fumée liquide.

T-bone steaks aux champignons sauvages
Supprimez la marinade. Servez les steaks grillés avec une poêlée de champignons : faites cuire 200 g des champignons de votre choix avec 50 g de beurre, 1 c. à s. de persil ciselé, 12 cl (½ tasse) de cognac et 1 c. à s. de sauce Worcestershire. Ajoutez 12 cl (½ tasse) de crème fraîche et faites réduire à feu vif pour épaissir. Servez avec de la moutarde de Dijon.

T-bone steaks au bleu
Supprimez la marinade à la bière et servez les steaks grillés avec un beurre aromatisé : mélangez 220 g de beurre doux ramolli, 220 g de bleu émietté, 25 g de chapelure, 2 grosses gousses d'ail écrasées et 1 c. à c. de poivre noir concassé.

T-bone steaks El Paso
Remplacez la marinade par celle-ci : mélangez 1 sachet d'assaisonnement pour tacos, 4 c. à s. d'huile d'olive et 1 c. à s. d'ail haché.

Variantes

Steaks d'aloyau marinés grillés

Recette de base p. 162

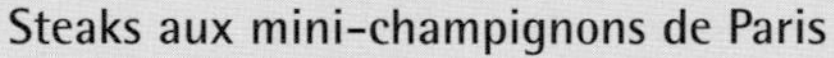

Steaks aux mini-champignons de Paris

Remplacez la marinade par celle-ci : mélangez 25 cl (1 tasse) de vinaigrette italienne, 12 cl (½ tasse) de vin rouge sec, 1 oignon râpé, 3 grosses gousses d'ail écrasées et 2 c. à s. d'origan ciselé. Faites mariner le steak dans cette préparation avec 3 piments rouges doux coupés en quartiers et 220 g de mini-champignons de Paris. Faites griller ensemble steak, piments et champignons.

Steaks au poivre et à l'estragon

Suivez la recette de base, en remplaçant la marinade par une pâte : mélangez 3 c. à s. d'huile d'olive, 1 c. à s. de grains de poivre vert égouttés et écrasés, 3 grosses gousses d'ail écrasées et 2 c. à s. d'estragon ciselé.

Steaks grillés aux trois poivres

Suivez la recette de base, en remplaçant la marinade par le mélange suivant : 4 c. à s. de ciboule finement hachée, 4 c. à s. de gin, 1 c. à s. d'huile d'olive, 1 c. à c. de zeste de citron râpé, 1 c. à c. de mélange de 3 poivres en grains fraîchement moulu et 2 c. à s. d'olives vertes farcies au piment coupées en rondelles.

Bulgogi coréen

Suivez la recette de base, en remplaçant la marinade par le mélange suivant : 25 cl (1 tasse) d'huile de sésame, 45 cl (1 ¾ tasse) de sauce soja, 4 grosses gousses d'ail écrasées, 1 c. à s. de racine de gingembre râpée et du piment séché en poudre selon votre goût.

Variantes

Romstecks au vinaigre balsamique

Recette de base p. 163

Romstecks à l'échalote
Supprimez la marinade et le vinaigre balsamique épaissi. Faites griller les romstecks selon la recette de base et préparez une sauce : faites revenir 2 c. à s. de beurre doux, 4 échalotes finement émincées, 2 c. à s. de vinaigre de vin rouge, 25 cl (1 tasse) de vin rouge sec et 2 c. à s. de feuilles de persil italien ciselées. Laissez réduire jusqu'à épaississement.

Romstecks grillés
Supprimez la marinade et le vinaigre balsamique épaissi. Faites simplement griller les romstecks, puis assaisonnez-les de sel et de poivre noir du moulin.

Romstecks au jus de viande et à la moutarde
Supprimez la marinade et le vinaigre balsamique épaissi. Remplacez-les par une marinade réalisée avec 12 cl (½ tasse) de jus de pamplemousse, 4 c. à s. de vinaigre de vin rouge et 2 échalotes râpées. Faites griller les romstecks et préparez une sauce : faites réduire de moitié à feu doux 1 c. à s. d'huile, 4 échalotes émincées, 12 cl (½ tasse) de bouillon de bœuf, 12 cl (½ tasse) de vin rouge, 2 c. à s. de saké doux, 1 c. à c. de moutarde de Dijon et du sucre selon votre goût.

Romstecks aux herbes
Supprimez la marinade et le vinaigre balsamique épaissi. Arrosez les romstecks grillés de 3 c. à s. d'huile d'olive, saupoudrez-les de 1 c. à s. de feuilles de thym et garnissez-les de 4 grosses échalotes finement émincées.

Variantes

Filets de bœuf au fromage et aux herbes

Recette de base p. 164

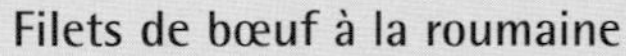

Filets de bœuf à la roumaine

Laissez la viande et 4 gros champignons de Paris mariner 2 h dans 25 cl (1 tasse) d'huile de colza, 12 cl (½ tasse) d'huile d'olive et 8 gousses d'ail écrasées. Faites-les griller selon la recette de base.

Filets de bœuf sauce à la crème moutarde-estragon

Supprimez le mélange au fromage, l'ail et le persil. Préparez une sauce : mélangez 4 c. à s. de vin blanc sec, 4 c. à s. de crème aigre, 1 c. à s. de moutarde de Dijon, 1 c. à s. de sucre et 1 ½ c. à c. d'estragon ciselé.

Filets de bœuf grillés au bacon

Supprimez le mélange au fromage, l'ail et le persil. Enroulez chaque filet de bœuf dans une épaisse tranche de bacon. Préparez une marinade sèche : mélangez 1 c. à s. de cumin en poudre, 1 c. à s. de piment en poudre, 1 ½ c. à c. de paprika, ½ c. à c. de poivre de Cayenne, ¼ de c. à c. de thym séché, ¼ de c. à c. de cannelle en poudre et 2 c. à s. d'huile. Enduisez les filets de bœuf de cette préparation et laissez-les reposer 30 min avant de les faire griller selon la recette de base. Garnissez de coriandre ciselée.

Filets de bœuf grillés marinés aux herbes

Supprimez le mélange au fromage, l'ail et le persil. Préparez une marinade sèche : 2 c. à c. de romarin séché, 1 c. à c. de thym séché, 1 c. à c. d'estragon séché et 2 gousses d'ail écrasées. Frottez la viande de cette préparation et laissez-la reposer 30 min avant de la faire griller.

Variantes

Culotte de bœuf grillée à l'aïoli

Recette de base p. 167

Culotte de bœuf grillée au pesto amandes-coriandre

Remplacez l'aïoli par une marinade sèche : mélangez 1 c. à c. de sel de mer, 1 c. à c. de poivre noir, 1 c. à c. de cumin en poudre, 1 c. à c. de coriandre moulue, 1 c. à c. d'ail semoule et ¼ de c. à c. de piment en poudre. Frottez-en la viande et laissez-la reposer 30 min. Servez avec un pesto : mélangez 2 c. à s. d'amandes effilées grillées, 25 g de coriandre ciselée, 25 g de persil ciselé, 1 c. à s. de piments épépinés et hachés, 1 c. à s. de jus de citron vert, 2 gousses d'ail écrasées, ¼ de c. à c. de sel, ¼ de c. à c. de poivre et 4 c. à s. de crème aigre.

Culotte de bœuf Santa Fe

Remplacez l'aïoli par une marinade : mélangez 4 c. à s. d'huile, 2 c. à s. de coriandre, 2 c. à s. de persil, 4 gousses d'ail écrasées, 2 c. à c. de sel, 2 c. à c. de cumin en poudre, 1 c. à c. de coriandre moulue, 1 c. à c. de poivre de Cayenne et 1 c. à c. de poivre noir. Laissez la viande mariner 2 h.

Culotte de bœuf épicée à la caribéenne

Remplacez l'aïoli par une marinade : mélangez 25 cl (1 tasse) de vinaigrette italienne, 2 c. à s. de sauce Worcestershire, 1 c. à s. de cassonade, 1 gros piment jalapeño épépiné et haché, 1 c. à c. de quatre-épices et 1 c. à c. de gingembre en poudre. Laissez la viande mariner 2 h.

Culotte de bœuf grillée aux nectarines

Supprimez l'aïoli. Faites mariner la viande 2 h dans 6 cl (4 c. à s.) de vin rouge, 6 cl (4 c. à s.) de sauce soja, 6 cl (4 c. à s.) de bouillon de volaille, 6 cl (4 c. à s.) de miel et 1 c. à c. de gingembre en poudre. Servez avec 4 nectarines coupées en deux et grillées.

Variantes

Steaks et beurre à la béarnaise

Recette de base p. 168

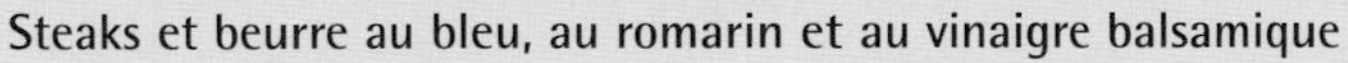

Steaks et beurre au bleu, au romarin et au vinaigre balsamique
Mélangez les ingrédients suivants dans la même quantité de beurre : 2 c. à s. de feuilles de romarin ciselées, 2 c. à s. de vinaigre balsamique, 1 c. à c. de sauce Worcestershire, 1 grosse gousse d'ail écrasée, 60 g de bleu émietté, ½ c. à c. de sel de mer et ¼ de c. à c. de poivre noir du moulin.

Steaks et beurre maître d'hôtel (accompagnement idéal du steak)
Mélangez les ingrédients suivants dans la même quantité de beurre : 4 c. à s. de persil ciselé, 4 c. à c. de jus de citron, ½ c. à c. de sel de mer et ¼ de c. à c. de poivre noir du moulin.

Steaks et beurre au piment
Mélangez les ingrédients suivants dans la même quantité de beurre : 2 c. à s. d'échalotes finement hachées, 1 c. à s. de coriandre ciselée, 1 c. à s. de piment rouge frais épépiné et finement haché, 1 c. à c. de jus de citron vert, 1 c. à c. de zeste de citron vert râpé, ½ c. à c. de sel de mer et ¼ de c. à c. de poivre noir du moulin.

Steaks et beurre pesto-noix
Mélangez les ingrédients suivants dans la même quantité de beurre : 3 c. à s. de pesto au basilic, 3 c. à s. de noix grillées et finement hachées, ½ c. à c. de sel de mer et ¼ de c. à c. de poivre noir du moulin.

Variantes

Aloyau grillé tout simplement

Recette de base p. 169

Steaks d'aloyau à la perfection
Ajoutez une marinade : mélangez 2 gousses d'ail écrasées, 2 c. à s. de sauce Worcestershire, 2 c. à s. de sauce soja, 2 c. à s. de vinaigre balsamique, 2 c. à s. d'huile d'olive et 1 c. à s. de moutarde de Dijon. Laissez les steaks mariner 2 h et suivez la recette de base.

Steaks d'aloyau en croûte de grains de café et de poivre
Ajoutez une croûte : pilez 4 c. à s. de grains de poivre noir grillés et 4 c. à s. de grains de café concassés. Appliquez cette préparation sur la viande en pressant avant de la faire griller. Suivez la recette de base.

Steaks d'aloyau à la mangue
Ajoutez une marinade : faites chauffer 10 min dans une poêle 1 petite mangue, 1 pomme et 1 melon d'Espagne coupés en lamelles, 2 c. à s. de sauce Worcestershire, 2 c. à s. de sel d'ail et 1 c. à c. de poivre noir. Laissez les steaks mariner 2 h et suivez la recette de base.

Steaks d'aloyau au poivre rouge
Ajoutez une croûte : pilez 4 c. à s. de grains de poivre noir, 1 c. à s. de grains de poivre blanc et 1 c. à c. de sel de mer. Appliquez cette préparation sur la viande en pressant avant de la faire griller. Suivez la recette de base. Mélangez 8 c. à s. de beurre doux ramolli, 10 cl (1/3 tasse) de bon vin rouge et 1 c. à s. de ciboulette ciselée. Garnissez les steaks de ce beurre au moment de servir.

Variantes

Plat de côtes de bœuf au barbecue

Recette de base p. 171

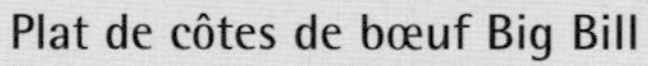

Plat de côtes de bœuf Big Bill

Remplacez la marinade sèche par celle-ci : mélangez 4 c. à s. de sel de mer, 2 c. à s. de paprika, 2 c. à s. de poivre noir moulu, 1 ½ c. à c. d'ail semoule, 1 ½ c. à c. d'oignon semoule, 1 ½ c. à c. de poivre de Cayenne, ½ c. à c. de coriandre moulue et ½ c. à c. de curcuma.

Plat de côtes de bœuf au cinq-épices

Remplacez la marinade sèche par celle-ci : mélangez 2 c. à s. de sel de mer, 1 c. à s. de poivre noir grossièrement moulu, 1 c. à s. de cinq-épices, 2 c. à c. d'ail semoule et 1 c. à c. de gingembre en poudre. Remplacez la sauce par celle-ci : mélangez 12 cl (½ tasse) de sauce hoisin, 4 c. à s. de vinaigre de riz, 2 c. à s. de miel liquide, 2 gousses d'ail écrasées et 1 c. à s. de racine de gingembre râpée.

Tendres côtes de bœuf fumées

Remplacez la marinade sèche par celle-ci : mélangez 60 g de sucre, 2 c. à s. d'oignon semoule, 2 c. à s. d'ail semoule, 2 c. à s. de sel de mer, 2 c. à s. de mélange cajun, 1 c. à s. de poivre noir, 1 c. à s. de paprika, 2 c. à c. de sel assaisonné, 2 c. à c. d'origan séché, ½ c. à c. de sauge séchée, ½ c. à c. de noix muscade râpée et ½ c. à c. de poivre de Cayenne.

Plat de côtes de bœuf façon Jack

Remplacez la sauce par celle-ci : mélangez 25 cl (1 tasse) de ketchup, 4 c. à s. de vinaigre de cidre, 4 c. à s. d'eau, 2 c. à s. de sauce Worcestershire, 2 c. à s. de sucre roux, 1 c. à s. d'oignon semoule, 1 c. à c. de moutarde sèche et 1 c. à c. de paprika. Faites mijoter l'ensemble 20 min.

Variantes

Paleron à la diable

Recette de base p. 172

Paleron au barbecue

Remplacez la marinade par celle-ci : mélangez 6 cl (4 c. à s.) de vinaigre de vin rouge, 6 cl (4 c. à s.) de sauce soja, 2 c. à s. de sauce Worcestershire, 2 c. à s. de sucre roux, 2 c. à s. d'huile, 2 c. à c. de moutarde, 2 c. à c. de sel d'ail et 1 c. à c. de poivre noir du moulin.

Paleron au poivron

Remplacez la marinade par celle-ci : mélangez 12 cl (½ tasse) de sauce teriyaki, 6 cl (4 c. à s.) d'huile, 2 c. à s. de ciboule finement émincée, 1 c. à c. d'oignon semoule, 1 c. à c. d'ail semoule et 1 c. à c. de sel de céleri. Garnissez la viande grillée de 3 poivrons verts coupés en lanières de 2 cm et grillés.

Paleron au barbecue façon Stu

Remplacez la marinade par celle-ci : mélangez 45 cl de bordeaux, 3 c. à s. d'huile d'olive, 10 à 12 grains de poivre trois couleurs, 1 c. à s. de sucre, 1 c. à s. de coriandre moulue et 1 c. à c. de sel fumé au noyer.

Paleron à l'orientale

Remplacez la marinade par celle-ci : mélangez 25 cl de jus d'ananas, 12 cl de sauce soja, 6 cl d'huile de sésame, 2 c. à s. d'oignon râpé, 2 c. à s. de cassonade, 3 grosses gousses d'ail écrasées et 1 c. à s. de racine de gingembre râpée.

Variantes

Faux-filet à l'argentine

Recette de base p. 174

Faux-filet grillé et champignons à la crème

Remplacez la sauce par une marinade : mélangez 6 cl (4 c. à s.) de sauce soja, 4 grosses gousses d'ail pressées et 1 c. à c. de cumin en poudre. Suivez la recette de base et servez avec des champignons à la crème : dans une grande poêle, faites revenir 100 g de beurre doux, 450 g de champignons émincés et 25 cl (1 tasse) de crème fraîche ; laissez cuire jusqu'à ce que la crème ait réduit de moitié.

Faux-filet aux quatre sels

Supprimez la sauce. À la place, mélangez du sel assaisonné, du sel de céleri, du sel d'ail et du sel d'oignon selon votre goût avec 8 c. à s. de beurre doux fondu. Suivez la recette de base, en badigeonnant la viande de cette préparation pendant la cuisson.

Faux-filet cajun

Remplacez la sauce par une marinade sèche : mélangez 1 c. à s. de paprika, 1 c. à c. de poivre de Cayenne, 1 c. à c. d'ail semoule, ½ c. à c. de poivre noir, ½ c. à c. de poivre blanc, ½ c. à c. d'oignon semoule, ½ c. à c. d'origan et ½ c. à c. de thym. Frottez-en la viande et laissez reposer 30 min.

Faux-filet façon cow-boy à la Big Billy

Remplacez la sauce par une marinade sèche : mélangez 2 c. à s. de sel de mer et 1 c. à s. de poivre noir grossièrement moulu, 1 c. à s. d'ail semoule, 1 c. à s. de thym séché et 1 c. à s. de café expresso en poudre. Frottez-en la viande et laissez reposer 30 min.

Variantes

Bavette grillée à la chilienne

Recette de base p. 175

Bavette grillée aux épices

Remplacez le cumin en poudre et la coriandre séchée de la marinade par 1 c. à s. de coriandre moulue. Remplacez la sauce par celle-ci : mélangez 1 gros oignon rouge finement émincé, 1 poivron rouge épépiné et coupé en lamelles fines et 3 c. à s. de sauce pour tacos forte.

Bavette grillée à l'ail

Remplacez la marinade par celle-ci : mélangez 6 gousses d'ail écrasées, 1 c. à c. de moutarde sèche, 1 c. à c. de cumin en poudre, ½ c. à c. de laurier en poudre, 6 cl (4 c. à s.) de sauce Worcestershire, 6 cl (4 c. à s.) de vinaigre de cidre, 1 c. à s. d'huile, 1 c. à s. de sauce épicée « Louisiane » et 25 cl (1 tasse) de bouillon de bœuf bouillant. Supprimez la sauce de la recette de base.

Bavette grillée Nouveau-Mexique

Remplacez la marinade par celle-ci : mélangez 3 c. à s. de piment mexicain en poudre, 1 c. à s. de cumin en poudre, 1 c. à s. d'ail semoule, 1 c. à s. de sucre, 2 c. à c. de poivre noir, 1 c. à c. de quatre-épices, 4 c. à s. de sauce Worcestershire et 2 c. à s. d'huile. Conservez la sauce de la recette de base.

Bavette grillée comme au Texas

Remplacez la marinade par celle-ci : mélangez 4 c. à s. de jus de citron, 4 c. à s. d'huile d'olive, 1 c. à s. de cumin en poudre, 2 c. à c. de piment en poudre et 1 c. à c. de piment doux en poudre. Conservez la sauce de la recette de base.

Variantes

Côtes de veau grillées au romarin

Recette de base p. 177

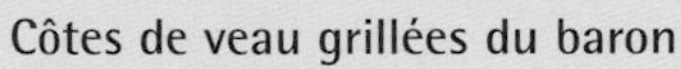

Côtes de veau grillées du baron

Remplacez la marinade par celle-ci : mélangez 6 cl (4 c. à s.) d'huile d'olive avec 2 c. à s. de vinaigre balsamique, 2 c. à s. de sel de mer, 2 c. à s. de poivre noir grossièrement moulu, 2 c. à s. d'ail séché et 2 c. à s. de romarin ciselé.

Côtes de veau grillées au basilic

Remplacez la marinade par celle-ci : mélangez 3 c. à s. de vinaigre balsamique, 4 c. à s. de jus de citron, 4 c. à s. d'huile d'olive, 4 c. à s. de basilic ciselé, 1 c. à s. de zeste de citron, 1 c. à s. d'échalotes hachées, 4 gousses d'ail écrasées, du sel et du poivre.

Côtes de veau grillées au citron et aux herbes

Remplacez la marinade par celle-ci : mélangez 3 c. à s. d'huile d'olive vierge extra, 3 c. à s. de jus de citron, 3 gousses d'ail écrasées, 1 c. à s. de feuilles d'origan finement ciselées et 1 c. à c. de poivre noir du moulin.

Côtes de veau grillées à la purée d'ail rôti

Supprimez la marinade. Faites griller les côtes selon la recette de base. Préparez une pâte d'épices en mélangeant 4 c. à s. d'ail rôti, 3 c. à s. de beurre ramolli, 2 c. à s. d'huile d'olive, 2 c. à s. de moutarde de Dijon et 1 c. à c. de piment doux en poudre. Étalez cette pâte sur les côtes grillées avant de servir.

Variantes

Côte de bœuf au barbecue

Recette de base p. 178

Côte de bœuf au vin rouge
Remplacez la marinade sèche par celle-ci : mélangez 12 cl (½ tasse) de vin rouge, 6 cl (4 c. à s.) de sauce soja, 2 c. à s. d'huile, 3 gousses d'ail écrasées, ½ c. à c. de thym séché et ½ c. à c. de poivre noir du moulin. Faites mariner la côte 2 h et suivez la recette de base.

Côte de bœuf grillée à la coréenne
Remplacez la marinade sèche par celle-ci : mélangez 12 cl (½ tasse) de sauce soja, 6 cl (4 c. à s.) de xérès, 6 cl (4c. à s.) de jus d'ananas, 2 c. à s. d'huile de sésame, 2 c. à s. de sucre et 1 c. à s. de racine de gingembre râpée. Faites mariner la côte 2 h et suivez la recette de base.

Côte de bœuf grillée à la texane
Remplacez la marinade sèche par celle-ci : mélangez 12 cl (½ tasse) de bière dégazée, 4 c. à s. d'huile d'olive, 4 c. à s. de cassonade, 4 c. à s. de vinaigre balsamique, 2 c. à s. de piment en poudre, 2 c. à s. de piments jalapeños épépinés et hachés, 2 c. à s. de mélasse, 2 c. à s. d'oignon râpé, 6 gousses d'ail écrasées, 1 c. à s. de poivre noir grossièrement moulu et 2 c. à c. de sel de mer. Faites mariner la côte 2 h et suivez la recette de base.

Côte de bœuf grillée Kansas City
Remplacez la marinade sèche par une version Kansas City : mélangez 4 c. à s. de cassonade, 2 c. à s. de sel d'ail, 2 c. à s. de sel assaisonné, 1 c. à s. de piment en poudre, 1 c. à c. de quatre-épices, 1 c. à c. de poivre noir, 1 c. à c. de cumin en poudre, 1 c. à c. de gingembre en poudre, ½ c. à c. de piment doux en poudre et ½ c. à c. de cannelle en poudre.

Variantes

Rôti d'aloyau grillé

Recette de base p. 179

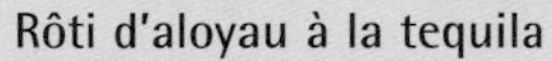

Rôti d'aloyau à la tequila

Remplacez la marinade sèche par celle-ci : 6 cl (4 c. à s.) de tequila, 2 c. à s. d'huile de sésame, 2 c. à s. de moutarde de Dijon, 2 c. à s. de vinaigre balsamique, 2 gousses d'ail écrasées, 2 c. à c. de sel de mer et 2 c. à c. de poivre noir. Laissez mariner 2 h et suivez la recette de base.

Rôti d'aloyau grillé aux épices

Remplacez la marinade sèche par celle-ci : mélangez 2 c. à s. d'oignon semoule, 2 c. à s. de cassonade, 1 c. à s. de paprika, 1 c. à s. de piment en poudre, 1 c. à c. de poivre de Cayenne, du sel de mer selon votre goût, ½ c. à c. de cumin en poudre et ½ c. à c. de cannelle.

Rôti d'aloyau mariné teriyaki

Remplacez la marinade sèche par celle-ci : mélangez 12 cl (½ tasse) de bordeaux, 12 cl (½ tasse) de sauce teriyaki, 6 cl (4 c. à s.) d'huile, 6 cl (4 c. à s.) de sauce soja, 5 c. à s. de vinaigre de vin rouge, 1 c. à s. de paprika, 1 c. à s. de persil séché et 3 gousses d'ail écrasées. Laissez mariner 2 h et suivez la recette de base.

Rôti d'aloyau grillé façon Santa Maria

Remplacez la marinade sèche par celle-ci : mélangez 6 c. à s. de sel de mer, 4 c. à s. d'ail semoule, 2 c. à s. de paprika, 1 c. à s. de poivre noir grossièrement moulu, 1 c. à s. de poivre blanc, 2 c. à c. de poivre de Cayenne et 1 c. à c. d'oignon semoule. Au cours de la cuisson, badigeonnez la viande d'un mélange composé de 12 cl (½ tasse) de vinaigre de vin rouge et 12 cl (½ tasse) d'huile aromatisée à l'ail.

Plaisirs végétariens

Les légumes saisis au barbecue et croquants sont vraiment un plaisir. Essayez quelques-unes de ces recettes simples, ou mettez-les au centre de votre repas en les associant pour présenter un assortiment coloré.

Sucettes d'oignons grillés

Pour 8 personnes

Une fois grillés, les oignons abandonnent leur saveur âcre en faveur d'une note fumée et sucrée.

4 oignons doux pelés et émincés en rondelles de 1,5 cm (1/2 po) d'épaisseur
12 à 16 piques à brochette
Sel de mer
Poivre noir du moulin
2 c. à s. d'huile végétale

Préchauffez le barbecue à température moyenne.
Enfilez délicatement chaque rondelle d'oignon sur une pique à brochette. Salez et poivrez chaque face et huilez les oignons au pinceau, en ayant la main légère car trop d'huile fait s'embraser le barbecue.
Faites griller les oignons 5 min environ, couverts. Retournez-les, huilez-les à nouveau et poursuivez la cuisson 5 à 7 min, jusqu'à ce qu'ils soient bien tendres.

Voir variantes p. 219

Tomates grillées à l'ail rôti

Pour 3 personnes

Ces tomates à la fois simples et sophistiquées dont l'odeur appétissante fleure bon la cuisine italienne attireront vos invités près du barbecue.

6 tomates mûres
Gros sel
Poivre noir du moulin
3 c. à s. d'huile d'olive vierge extra
2 c. à s. de beurre fondu
8 gousses d'ail rôti grossièrement hachées
25 à 50 g de parmesan
1 c. à c. de feuilles de thym

Coupez les tomates en deux dans la hauteur. Salez, poivrez et réservez.
Chauffez l'huile et le beurre dans une petite poêle. Ajoutez l'ail rôti et faites cuire 1 à 2 min pour bien incorporer le tout. Versez dans un bol.
Préchauffez le barbecue à température élevée. Si vous utilisez un modèle à gaz, vous pouvez mettre des copeaux de bois dans le fumoir et faire préchauffer jusqu'à l'apparition de fumée. Si vous disposez d'un barbecue à charbon, vous pouvez jeter des copeaux de bois sur les braises. Déposez les tomates sur le barbecue chaud, face coupée dessous, et faites-les dorer de 3 à 5 min en les tournant de 90° au bout de 2 min pour obtenir un joli quadrillage. Retournez les tomates avec des pinces, versez l'ail frit à la cuillère dessus et poursuivez la cuisson de 3 à 5 min, jusqu'à ce que le dessous soit bien doré.
Disposez les tomates sur un plat. Saupoudrez-les de parmesan et de thym. Servez immédiatement.

Voir variantes p. 220

Aubergines grillées aux épices

Pour 4 personnes

Des herbes fraîches et un filet de citron relèvent à merveille la saveur fumée de l'aubergine grillée.

1 grosse aubergine coupée en rondelles de 1 cm (1/2 po) d'épaisseur
1 à 2 c. à c. de sel
2 c. à s. d'huile d'olive
1 c. à c. de vinaigre de vin rouge
2 c. à c. de jus de citron
1 c. à c. d'ail haché
1 c. à c. de piment séché en poudre
1 c. à c. de mélange d'herbes
2 c. à s. d'huile d'olive
1 c. à s. de persil ciselé
1 c. à s. de menthe ciselée

Mettez les rondelles d'aubergine dans une passoire, sur une couche, et saupoudrez-les de sel. Laissez dégorger 20 min, puis retournez-les, saupoudrez l'autre face de sel et laissez dégorger à nouveau 20 min.
Pendant ce temps, fouettez l'huile d'olive avec le vinaigre de vin, le jus de citron, l'ail, le piment en poudre et le mélange d'herbes. Réservez cette sauce épicée.
Préchauffez le barbecue sur chaleur moyenne. Pressez chaque rondelle d'aubergine entre deux feuilles de papier absorbant pour la sécher. Au pinceau, appliquez de l'huile d'olive sur les deux faces. Posez les aubergines sur le gril et faites-les cuire 4 ou 5 min par face, en les tournant à mi-cuisson pour obtenir un quadrillage. Surveillez la cuisson, car les aubergines passent rapidement du stade doré au stade brûlé.
Retirez-les du gril et mettez-les dans un grand plat. Versez la sauce épicée et mélangez pour les enrober. Laissez tiédir légèrement, puis parsemez de persil et de menthe avant de servir.

Voir variantes p. 221

Patates douces grillées

Pour 4 à 6 personnes

Précuire les patates douces avant de les faire griller au barbecue permet de réduire le temps de cuisson, ce qui donne un plat à la fois rapide et simple à préparer.

4 à 6 patates douces moyennes grattées
6 cl (4 c. à s.) d'huile végétale
Sel de mer
Poivre noir du moulin

Faites précuire les patates douces 10 min et laissez-les refroidir.
Coupez-les chacune en 6 ou 8 tranches ou quartiers. Huilez-les au pinceau.
Préchauffez le barbecue et faites cuire les patates douces à température moyenne de 5 à 7 min sur chaque face, jusqu'à ce qu'elles soient croustillantes et légèrement dorées.
Salez et poivrez avant de servir.

Voir variantes p. 222

Pommes de terre grillées aux herbes

Pour 4 personnes

Tournez les pommes de terre de 90° à mi-cuisson pour obtenir un quadrillage.

4 pommes de terre moyennes lavées et frottées
6 c. à s. d'huile d'olive
6 ciboules finement émincées
3 c. à s. de parmesan râpé
3 c. à s. de persil ciselé
2 c. à s. d'origan ciselé
3 gousses d'ail écrasées
Sel
Poivre du moulin
1 c. à c. de sésame

Faites cuire les pommes de terre dans une grande casserole d'eau salée portée à ébullition, jusqu'à ce qu'elles soient tendres. Égouttez-les et laissez-les refroidir.
Coupez-les en quartiers ou en rondelles et mettez-les dans un saladier. Ajoutez 2 c. à s. d'huile d'olive et mélangez.
Faites griller les pommes de terre 5 min sur le barbecue préchauffé à température moyenne, en les retournant de temps en temps. Mettez-les dans un plat creux. Ajoutez le reste d'huile, les ciboules, le parmesan, les herbes et l'ail. Salez et poivrez. Mélangez et parsemez de sésame avant de servir.

Voir variantes p. 223

Asperges au poivre noir

Pour 4 personnes

Un légume aussi sophistiqué que l'asperge se prête tout à fait à une préparation simple, comme celle qui est proposée ici.

500 g d'asperges vertes
Sel de mer
Poivre noir du moulin

Cassez ou coupez les extrémités dures des tiges. Plongez les asperges dans de l'eau froide et laissez-les tremper 30 min.
Égouttez-les et disposez-les en biais sur le barbecue préchauffé à température moyenne. Faites-les cuire jusqu'à ce que les extrémités commencent à s'attendrir. Tournez-les sur le gril pour obtenir un quadrillage, toujours en biais pour leur éviter de passer à travers la grille. Veillez à ne pas trop laisser dorer ni cuire les asperges. Salez et poivrez avant de servir.

Voir variantes p. 224

Pâtissons grillés à l'origan

Pour 6 personnes

Les petits pâtissons se trouvent chez les marchands de fruits et légumes spécialisés. D'épaisses rondelles de courgette se prêtent tout aussi bien à cette recette.

6 cl (4 c. à s.) d'huile d'olive vierge extra
2 c. à c. d'oignon râpé
1 grosse gousse d'ail écrasée
1 c. à c. d'origan séché
12 petits pâtissons
Cheddar ou parmesan râpés (facultatif)

Mélangez l'huile d'olive, l'oignon, l'ail et l'origan. Réservez.
Coupez les pâtissons en deux et retirez les graines. Lavez-les minutieusement sous l'eau et séchez-les.
Préchauffez le gril à température moyenne. Badigeonnez les pâtissons d'huile parfumée sur une face et posez-les sur le gril. Couvrez et laissez cuire 6 à 10 min, en les retournant à mi-cuisson. Retournez-les, badigeonnez-les de nouveau d'huile et couvrez. Poursuivez la cuisson jusqu'à ce que les pâtissons soient dorés sur les deux faces. Servez chaud, saupoudré de fromage râpé si vous le souhaitez.

Voir variantes p. 225

Légumes d'été grillés au vinaigre balsamique et au sirop d'érable

Pour 6 personnes

Ce plat de légumes aux couleurs vives ravira les yeux de vos convives.

500 g d'asperges vertes
2 courgettes vertes
1 courgette jaune
2 poivrons rouges
1 grosse aubergine
6 petites tomates
2 c. à s. d'huile végétale
1 c. à s. de thym
Sel de mer
Poivre noir du moulin
12 cl (1/2 tasse) de vinaigre balsamique
6 cl (4 c. à s.) de sirop d'érable

Coupez les extrémités dures des asperges. Coupez les courgettes vertes en quatre dans la longueur, la courgette jaune en tronçons. Retirez le pédoncule et les pépins des poivrons, coupez-les en grosses lamelles. Coupez l'aubergine en rondelles.
Mettez tous les légumes dans un saladier, mélangez avec l'huile et le thym, salez et poivrez. Disposez les légumes sur le barbecue préchauffé à température moyenne. Fermez et laissez cuire 3 min. Retirez les asperges et réservez-les au chaud. Tournez les autres légumes de 90° pour obtenir un quadrillage. Couvrez de nouveau. Poursuivez la cuisson en tournant les légumes toutes les 3 min jusqu'à ce qu'ils soient tendres. Retirez-les.
Pendant ce temps, portez le vinaigre et le sirop d'érable à ébullition dans une petite casserole et faites bouillir 2 min, jusqu'à épaississement. Badigeonnez les légumes du quart de cette préparation, retournez-les et répétez l'opération. Disposez-les sur le plat de service et badigeonnez-les du reste de préparation.

Voir variantes p. 226

Brochettes de légumes

Pour 4 à 6 personnes

Confectionnez ces brochettes avec des légumes de saison ou avec ceux dont vous disposez parmi les suggestions suivantes.

1 aubergine coupée en dés
1 poivron rouge coupé en lanières
2 oignons rouges coupés en quartiers
16 champignons de Paris
8 tomates cerises
1 concombre coupé en 8 rondelles
1 branche de céleri coupée en tronçons de 2,5 cm (1 po)
Brochettes trempées dans l'eau
12 cl (½ tasse) de jus de citron
Le zeste râpé de 2 citrons
1 c. à s. d'huile d'olive
2 grosses gousses d'ail écrasées
1 c. à s. de thym ciselé
Sel
Poivre du moulin

Enfilez les morceaux de légumes sur les brochettes, en alternant les couleurs pour le plaisir des yeux, et mettez-les dans un grand plat. Versez dessus le jus et le zeste de citron, l'huile, l'ail et le thym. Laissez mariner 1 h, en les tournant de temps en temps. Préchauffez le barbecue à température moyenne.

Avant de faire griller les légumes, vous pouvez les rouler dans les fines herbes de votre choix. Posez les brochettes directement sur le gril, à environ 10 cm (4 po) de la source de chaleur. Couvrez et laissez cuire de 15 à 20 min, jusqu'à ce que les légumes soient tendres et dorés, en les retournant souvent. Salez et poivrez avant de servir.

Voir variantes p. 227

Champignons farcis à la créole

Pour 2 ou 3 personnes

La taille des champignons que vous utiliserez déterminera la quantité de farce dont vous aurez besoin : ajustez la recette en conséquence.

500 g de champignons de Paris
1 c. à c. d'huile d'olive
4 c. à s. d'oignon râpé
4 c. à s. de poivron rouge finement haché
280 g d'épinards surgelés, décongelés et égouttés
2 ou 3 tranches de pain complet émiettées
1 c. à c. de mélange créole ou cajun
1/4 de c. à c. de curcuma en poudre
50 g de cheddar râpé

Préchauffez le fumoir du barbecue à 120 °C (250 °F). Huilez légèrement un moule à tarte ou des moules à muffins. Ôtez les pieds des champignons et hachez-les finement. Réservez les chapeaux.

Chauffez l'huile d'olive à feu vif dans une grande poêle. Faites revenir les pieds de champignons hachés, l'oignon, le poivron et les épinards 5 min environ, jusqu'à ce qu'ils soient tendres. Retirez la poêle du feu, ajoutez le pain et les épices, mélangez bien. Remplissez chaque chapeau de champignon de 2 c. à s. de farce. Disposez les champignons farcis dans le moule, farce dessus. Placez-le dans le fumoir, couvrez et laissez cuire de 45 min à 1 h. Quelques minutes avant la fin de la cuisson, sortez-les pour les saupoudrer de fromage. Terminez la cuisson et servez chaud.

Voir variantes p. 228

Burgers croquants aux noix

Pour 8 personnes

Cette recette de burgers végétariens peut être réalisée avec tous types de céréales ou de muesli croquants pour petit déjeuner, à condition qu'ils ne soient pas trop sucrés.

2 œufs
12 cl (½ tasse) de jus de légumes
1 sachet de soupe à l'oignon déshydratée
5 c. à s. de ketchup
220 g de céréales aux noix
Sel de mer
Poivre noir du moulin
Huile
Petits pains complets grillés
Garniture : laitue, rondelles d'oignon et de tomate

Battez les œufs avec le jus de légumes, le sachet de soupe à l'oignon et le ketchup dans un grand saladier. Incorporez les céréales, salez et poivrez. Couvrez et laissez au réfrigérateur 4 h ou, mieux, toute une nuit. Façonnez 8 burgers.
Préparez le barbecue à température moyenne à élevée. Huilez légèrement les burgers et faites-les griller 4 ou 5 min par face à température moyenne, couverts. Huilez à nouveau le dessus des burgers avant de les retourner. Faites-les dorer des deux côtés. Une grille double permettra de les retourner plus facilement. Servez les burgers dans les petits pains complets, garnis de laitue et de rondelles d'oignon et de tomate.

Voir variantes p. 229

Variantes

Sucettes d'oignons grillés

Recette de base p. 199

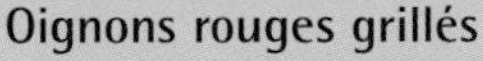

Oignons rouges grillés

Remplacez les oignons par des oignons rouges coupés en deux. Supprimez l'huile, le sel et le poivre. À la place, faites mariner les oignons 2 h dans le mélange suivant : 2 c. à s. de sauce Worcestershire, 2 c. à s. de vinaigre balsamique, 2 c. à s. de sauce soja, 2 c. à s. d'huile d'olive, du sel de mer et du poivre noir du moulin. Égouttez-les avant de les faire griller.

Mini-oignons grillés relevés

Remplacez les oignons par 24 mini-oignons, précuits 5 min. Enfilez-les sur 4 brochettes en bambou. Supprimez l'huile, le sel et le poivre. À la place, badigeonnez-les d'un mélange composé de 12 cl (½ tasse) de vinaigrette italienne, 12 cl (½ tasse) de vinaigrette à l'oignon, 8 c. à s. de beurre doux fondu, du sel de mer et du poivre noir grossièrement moulu.

Oignons grillés à la mexicaine

Suivez la recette de base, en badigeonnant les oignons d'assaisonnement pour tacos avant cuisson.

Oignons grillés à la bière et au poivre de Cayenne

Supprimez l'huile, le sel et le poivre. Faites mariner les rondelles d'oignon 2 h dans un mélange composé de 33 cl (1 ⅓ tasse) de bière, 120 g de beurre doux fondu, 2 c. à s. d'huile d'olive, du sel de mer, du poivre noir du moulin et du poivre de Cayenne. Égouttez, en réservant la marinade. Enfilez les oignons sur les piques et faites-les griller selon la recette de base, en les badigeonnant régulièrement de marinade.

Variantes

Tomates grillées à l'ail rôti

Recette de base p. 200

Tomates vertes grillées

Supprimez l'ail rôti, l'huile et le beurre. Remplacez les tomates rouges par de grosses tomates vertes coupées en rondelles de 1,5 cm (1 po) d'épaisseur. Préparez une sauce pour les badigeonner : mélangez 6 cl (4 c. à s.) de crème aigre, 6 cl (4 c. à s.) de mayonnaise et 6 cl (4 c. à s.) de sauce pimentée douce.

Tomates grillées au fromage fondant

Supprimez l'ail rôti, l'huile, le beurre, le parmesan et le thym. Quelques minutes avant la fin de la cuisson, garnissez les tomates de 170 g de cheddar râpé, 50 g de poivron rouge haché et 30 g d'amandes effilées grillées.

Tomates grillées aux herbes

Supprimez l'ail rôti, l'huile, le beurre, le parmesan et le thym. Remplacez la garniture à l'ail par un mélange composé de 12 cl (½ tasse) de crème aigre ou de yaourt nature et 3 c. à s. de chacun des ingrédients suivants : basilic ciselé, chapelure fine et parmesan râpé. Décorez de 4 ou 5 branches de basilic.

Tomates grillées épicées

Ne conservez que les tomates. Remplacez la garniture à l'ail par un mélange composé de 1 piment rouge frais épépiné et haché, 25 cl (1 tasse) de yaourt nature, 1 c. à c. d'oignon semoule, 1 c. à c. de sucre et 1 c. à c. de curry. Garnissez-en les tomates grillées.

Variantes

Aubergines grillées aux épices

Recette de base p. 203

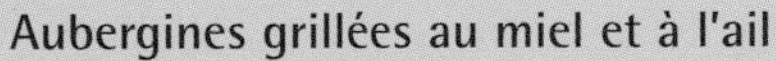

Aubergines grillées au miel et à l'ail
Ne huilez pas les aubergines. Remplacez les herbes et la sauce épicée par une marinade : mélangez 2 c. à s. de miel liquide, 2 c. à s. d'huile d'olive, 2 grosses gousses d'ail écrasées, 1 c. à s. de paprika fumé, 2 c. à c. de vinaigre balsamique, du sel et du poivre. Laissez mariner 2 h. Égouttez et faites cuire en badigeonnant de marinade.

Aubergines grillées aux herbes et à l'ail
Ne huilez pas les aubergines. Remplacez les herbes et la sauce épicée par une marinade : mélangez 15 cl (10 c. à s.) d'huile d'olive vierge extra, 4 grosses gousses d'ail écrasées, 8 c. à s. de basilic ciselé, 8 c. à s. de persil plat ciselé, du sel et 2 pincées de poivre noir du moulin. Laissez mariner 2 h. Égouttez et faites cuire en badigeonnant de marinade.

Aubergines grillées à la provençale
Ne huilez pas les aubergines. Remplacez les herbes et la sauce épicée par une marinade : mélangez 3 c. à s. d'huile d'olive, 2 c. à s. de vinaigre balsamique, 2 gousses d'ail finement hachées, 1 pincée de thym séché, 1 pincée de basilic séché, 1 pincée d'aneth séché, 1 pincée d'origan séché, du sel et du poivre. Laissez mariner 2 h. Égouttez et faites cuire en badigeonnant de marinade.

Aubergines grillées au beurre d'ail
Ne huilez pas les aubergines. Remplacez les herbes et la sauce épicée par 120 g de beurre mélangé avec 4 gousses d'ail finement hachées, dont vous badigeonnerez les aubergines.

Variantes

Patates douces grillées

Recette de base p. 204

Brochettes de patates douces grillées
Enfilez les patates douces sur 4 brochettes en bambou. À la place de l'huile, badigeonnez les patates douces au pinceau d'un mélange de 70 g de beurre fondu, 2 c. à s. de sauce soja et 1 c. à s. de graines de sésame grillées. Faites-les cuire comme des brochettes, en les retournant régulièrement.

Patates douces grillées caramélisées
Supprimez l'huile. Mélangez 4 c. à s. de cassonade et 2 c. à s. de jus de citron. Faites griller les patates douces selon la recette de base, en les badigeonnant régulièrement du mélange cassonade-citron pour obtenir une croûte caramélisée.

Patates douces grillées à la jamaïcaine
Supprimez l'huile. Mélangez 4 c. à s. de cassonade, 2 c. à s. de beurre ramolli, 1 c. à c. de gingembre en poudre, ½ c. à s. de quatre-épices, 1 c. à s. de rhum brun et 1 c. à s. de coriandre ciselée. Faites griller les patates douces selon la recette de base, en les badigeonnant régulièrement de préparation en cours de cuisson.

Patates douces grillées à la cannelle
Supprimez l'huile. Mélangez 70 g de beurre fondu, 2 c. à s. de sucre en poudre et 1 c. à c. de sucre à la cannelle. Faites griller les patates douces selon la recette de base, en les badigeonnant régulièrement de préparation en cours de cuisson.

Variantes

Pommes de terre grillées aux herbes

Recette de base p. 207

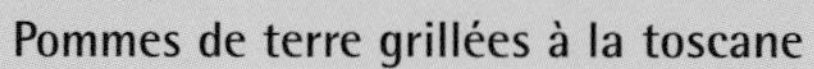

Pommes de terre grillées à la toscane
Suivez la recette de base, en remplaçant les ciboules, le parmesan, le persil et l'origan par 5 feuilles de sauge ciselées et 2 c. à c. de romarin ciselé.

Pommes de terre grillées à l'ail fumé
Suivez la recette de base, en remplaçant l'huile d'olive, les ciboules, le parmesan, le persil, l'origan et l'ail par 2 têtes d'ail fumé ou rôti réduites en une pâte lisse avec 4 c. à s. d'huile d'olive vierge extra. Saupoudrez les pommes de terre cuites de 2 c. à s. de persil ciselé.

Pommes de terre grillées au miel
Suivez la recette de base, en remplaçant les ciboules, le parmesan, le persil, l'origan et l'ail par 2 c. à s. d'oignon finement haché, 2 c. à s. de miel de trèfle et 1 c. à c. de moutarde sèche.

Pommes de terre grillées tout simplement
Suivez la recette de base, en remplaçant les ciboules, le parmesan, l'ail, l'origan et le persil par 2 c. à c. de sel assaisonné. Remplacez les 4 c. à s. d'huile d'olive par 50 g de beurre fondu.

Pommes de terre grillées aux herbes à la scandinave
Suivez la recette de base, en remplaçant les ciboules, le parmesan, l'huile, les herbes et l'ail par 3 c. à s. d'aneth ciselé et 8 baies de genièvre concassées.

Variantes

Asperges au poivre noir

Recette de base p. 208

Asperges à l'ail et au miel
Suivez la recette de base. Servez les asperges grillées accompagnées de la sauce suivante : mélangez 4 c. à s. de moutarde de Dijon, 4 c. à s. de bière brune, 3 c. à s. de miel liquide, 1 c. à c. d'ail haché et 1/4 de c. à c. de thym séché.

Asperges au sésame
Suivez la recette de base. Servez les asperges grillées accompagnées de la sauce suivante : mélangez 2 c. à s. de sauce soja, 2 c. à s. de vinaigre de riz doux, 1 c. à s. d'huile de sésame, 1 c. à s. de graines de sésame et 1 piment doux frais finement haché.

Asperges à l'oignon rouge et à l'orange
Suivez la recette de base, en badigeonnant les asperges en cours de cuisson du mélange suivant : 4 c. à s. de céleri haché, 4 c. à s. d'oignon rouge haché, 1 c. à s. de carotte râpée, 1 c. à s. de racine de gingembre râpée, 1 c. à c. de zeste d'orange râpé, 5 c. à s. de jus de pomme non sucré, 2 c. à s. de vinaigre de riz et 1 c. à s. de miel liquide. Au terme de la cuisson, versez le reste de préparation sur les asperges.

Asperges sauce au poivron rouge
Suivez la recette de base. Servez les asperges grillées accompagnées de la sauce suivante : mélangez 2 poivrons rouges grillés finement hachés, 2 gousses d'ail écrasées, 3 c. à s. de vinaigre de vin rouge, 2 c. à s. d'huile d'olive et 4 c. à s. de feuilles de basilic ciselées.

Variantes

Pâtissons grillés à l'origan

Recette de base p. 211

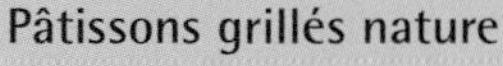

Pâtissons grillés nature
Supprimez l'origan, l'ail et l'oignon. Faites griller les pâtissons selon la recette de base, en les badigeonnant régulièrement avec 2 c. à s. de beurre fondu à la place de l'huile.

Pâtissons grillés au thym
Supprimez l'origan, l'ail et l'oignon. Faites griller les pâtissons selon la recette de base. Quand ils sont cuits, saupoudrez-les de 1 c. à s. de feuilles de thym.

Pâtissons grillés à l'oignon et au romarin
Remplacez l'origan et l'oignon par 2 oignons rouges coupés en rondelles de 2 cm d'épaisseur, ½ c. à c. de piment séché en poudre et ½ c. à c. de romarin séché.

Pâtissons grillés au parmesan
Remplacez l'origan, l'ail et l'oignon par 2 tomates coupées en dés et ½ c. à c. de thym séché. Juste avant la fin de la cuisson, saupoudrez les pâtissons de parmesan râpé.

Pâtissons grillés fraîcheur
Suivez la recette de base, en versant sur les pâtissons grillés une garniture composée de 3 c. à s. de menthe ciselée mélangée avec 12 cl (½ tasse) de yaourt nature.

Variantes

Légumes d'été grillés au vinaigre balsamique et au sirop d'érable

Recette de base p. 212

Légumes d'été grillés à la toscane
Préparez les légumes selon la recette de base. Faites-les mariner 30 min dans la préparation suivante : mélangez 6 cl (4 c. à s.) de vin rouge, 6 cl (4 c. à s.) d'huile d'olive, 1 ½ c. à s. de basilic ciselé, 1 c. à s. de sauge ciselée, 1 c. à s. de romarin ciselé, 1 c. à s. de grains de poivre concassés, 1 c. à s. de zeste d'orange râpé et 2 gousses d'ail écrasées. Égouttez-les avant de les faire griller.

Légumes d'été grillés à l'aïoli au basilic
Préparez les légumes selon la recette de base. Faites-les griller et servez avec un aïoli au basilic : fouettez 4 c. à s. de basilic ciselé, 2 grosses gousses d'ail écrasées, 1 jaune d'œuf, 2 c. à c. de jus de citron et 12 cl (½ tasse) d'huile d'olive versée en filet.

Assortiment de légumes d'été grillés, vinaigrette au basilic
Préparez les légumes selon la recette de base. Remplacez la préparation au sirop d'érable par une vinaigrette : fouettez 25 cl (1 tasse) d'huile d'olive vierge extra, 6 cl (4 c. à s.) de jus de citron, 4 c. à s. de basilic ciselé, 2 gousses d'ail pressées et 1 c. à s. de moutarde de Dijon.

Légumes d'été grillés façon méditerranéenne
Faites mariner les légumes 30 min dans un mélange composé de 25 cl (1 tasse) d'huile d'olive et 5 c. à s. d'assaisonnement à l'italienne avant de suivre la recette de base.

Variantes

Brochettes de légumes

Recette de base p. 215

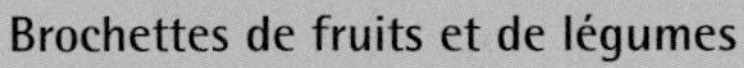

Brochettes de fruits et de légumes

Suivez la recette de base, en réalisant la marinade avec 3 c. à s. d'huile d'olive, 2 c. à s. de vinaigre de cidre et 2 c. à s. de jus d'orange. Sur les brochettes, alternez les légumes avec 170 g d'abricots séchés et 2 bananes coupées en rondelles épaisses.

Brochettes de légumes aux tomates cerises

Suivez la recette de base, en doublant la quantité de tomates cerises. Arrosez les brochettes d'huile d'olive avant de les faire griller.

Brochettes de tofu et de fruits

Suivez la recette de base, en remplaçant les légumes par 350 g de tofu coupé en 32 cubes et 220 g d'ananas coupé en morceaux. Réalisez la marinade avec 12 cl (½ tasse) de jus d'orange, 2 c. à s. de sauce soja, 2 c. à s. de cassonade, 2 gousses d'ail écrasées et 1 c. à s. de racine de gingembre râpée.

Brochettes teriyaki

Suivez la recette de base, en ajoutant 2 épis de maïs coupés en tronçons de 5 cm. Badigeonnez régulièrement les brochettes avec 25 cl (1 tasse) de sauce teriyaki.

Brochettes de légumes sauce à la crème aigre

Suivez la recette de base, en accompagnant les brochettes d'une sauce réalisée avec 12 cl (½ tasse) de crème aigre, 1 gousse d'ail écrasée et 1 c. à s. de ciboulette ciselée.

Variantes

Champignons farcis à la créole

Recette de base p. 216

Champignons farcis provençale
Remplacez le poivron rouge, le pain, le mélange créole, le curcuma et le cheddar par 120 g de tomates fraîches hachées, 4 c. à s. de tomates séchées, 4 c. à s. d'olives noires et 2 gousses d'ail écrasées. Conservez les épinards et l'oignon.

Champignons farcis Napoléon
Remplacez l'oignon, les épinards, le poivron rouge, le mélange créole, le curcuma et le cheddar par 1 grosse tomate épépinée et hachée, 3 c. à s. de persil plat ciselé, 3 c. à s. d'huile d'olive vierge extra, 1 c. à s. de basilic ciselé, 1 c. à s. de vinaigre de vin rouge et 50 g de copeaux de parmesan. Quand ils sont cuits, décorez les champignons de branches de basilic.

Champignons à la mode cajun
Supprimez la farce et laissez les pieds des champignons intacts. Supprimez le cheddar. Faites griller les champignons selon la recette de base et assaisonnez-les avec 1 c. à c. de mélange créole. Arrosez-les d'une vinaigrette réalisée en mélangeant 2 c. à s. de sauce Worcestershire, 2 c. à s. de vinaigre balsamique et 1 c. à s. d'huile d'olive.

Champignons grillés à la façon de Paul
Supprimez la farce, l'assaisonnement et le cheddar. Laissez les pieds des champignons intacts. Faites griller les champignons selon la recette de base et arrosez-les de 12 cl (½ tasse) de vinaigrette italienne lorsqu'ils sont cuits.

Burgers croquants aux noix

Recette de base p. 218

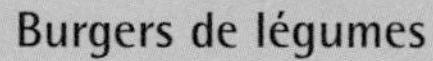

Burgers de légumes

Suivez la recette de base, en remplaçant les œufs, le jus de légumes, le sachet de soupe, le ketchup et les céréales par le mélange suivant : 400 g de haricots secs en conserve rincés et égouttés, 60 g de flocons d'avoine, 60 g de champignons hachés, 60 g d'oignon haché, 60 g de poivron rouge haché, 1 carotte râpée et 2 gousses d'ail écrasées.

Burgers piquants aux haricots blancs

Suivez la recette de base, en remplaçant 1 œuf, le jus de légumes, le sachet de soupe, le ketchup et les céréales par le mélange suivant : 400 g de haricots secs écrasés à la fourchette, une boite de 140 g de poivrons verts hachés, 2 ciboules finement émincées, 90 g de miettes de pain sec et 4 c. à s. de polenta.

Sandwichs aux champignons de Paris

Suivez la recette de base, en remplaçant le jus de légumes, le sachet de soupe, le ketchup et les céréales par 120 g de chapeaux de champignons de Paris hachés et 2 c. à s. d'huile d'olive. Cette préparation n'a pas besoin d'être placée au réfrigérateur.

Sandwichs aux poivrons

Supprimez le mélange des burgers. Préparez une autre garniture pour les petits pains : faites griller 2 poivrons rouges et 1 jaune épépinés et coupés en lanières, ainsi qu'1 gros oignon coupé en rondelles de 1 cm d'épaisseur. Déposez les légumes grillés sur les petits pains ouverts, arrosez-les d'un filet de vinaigrette italienne et refermez les petits pains.

Salades et garnitures

Les recettes présentées ici peuvent être servies avec tous les plats des chapitres précédents. Essayez la salade de chou cru à l'espagnole avec un poisson ou un steak en toute légèreté, ou donnez de la consistance à un barbecue végétarien avec des haricots en cocotte au lard.

Salade de pommes de terre au concombre et à l'aneth

Pour 6 personnes

L'association concombre-aneth confère des accents scandinaves à cette salade de pommes de terre classique.

1,3 kg de pommes de terre à chair rouge non pelées
2 c. à s. de ciboule hachée (parties verte et blanche)
1 concombre coupé en deux dans la longueur puis en lamelles
2 c. à s. d'aneth ciselé
15 cl (10 c. à s.) d'huile d'olive
4 c. à s. de vinaigre de vin blanc
1 c. à s. de moutarde de Dijon
Sel de mer
Poivre noir du moulin

Coupez les pommes de terre en gros morceaux et faites-les cuire dans une grande casserole d'eau bouillante salée. Égouttez-les et laissez-les refroidir.
Mettez les pommes de terre dans un grand saladier. Ajoutez la ciboule, les lamelles de concombre et l'aneth, mélangez.
Fouettez l'huile d'olive, le vinaigre et la moutarde dans un bol. Versez cette vinaigrette dans le saladier, salez et poivrez. Remuez bien. Laissez au réfrigérateur dans une boîte hermétique jusqu'au moment de servir.

Voir variantes p. 248

Salade de pommes de terre pique-nique

Pour 6 personnes

Sortez cette salade du réfrigérateur 1 ou 2 h avant de la servir de façon à raviver toutes ses saveurs.

1,3 kg de pommes de terre à chair rouge
120 g de céleri coupé en dés
50 g de concombre épépiné et coupé en dés
40 g de ciboule émincée
30 cl (1 1/4 tasse) de mayonnaise allégée
1 c. à s. de moutarde blanche
1 c. à s. de sucre en poudre
1 c. à s. de jus de citron
50 g de cheddar affiné râpé
3 œufs durs hachés
Sel de mer
Poivre noir du moulin

Coupez les petites pommes de terre en deux, les grosses en quatre. Mettez-les dans une grande casserole et couvrez d'eau. Portez à ébullition et laissez-les cuire entre 14 et 20 min. Égouttez-les et laissez-les refroidir au réfrigérateur.
Mettez les pommes de terre dans un grand saladier avec le céleri, le concombre et la ciboule. Mélangez la mayonnaise, la moutarde, le sucre, le jus de citron, le cheddar et les œufs dans un bol. Salez et poivrez. Versez dans le saladier et remuez délicatement. Couvrez et laissez au réfrigérateur au moins 4 h ou, mieux, toute une nuit pour mêler les différentes saveurs.

Voir variantes p. 249

Épis de maïs grillés

Pour 8 personnes

Le maïs est un des classiques du barbecue. Il mérite un léger assaisonnement.

8 épis de maïs
40 g de beurre
1 c. à c. de piment en poudre
1 c. à c. de sel d'oignon
Poivre noir du moulin

Tirez délicatement l'enveloppe des épis, tout en les laissant attachées à ceux-ci. Ôtez les soies qui restent éventuellement.

Faites fondre le beurre dans une petite casserole, ajoutez l'assaisonnement et mélangez.

Badigeonnez les épis de beurre parfumé. Rabattez les enveloppes autour des épis, puis emballez-les individuellement dans du papier d'aluminium.

Préchauffez un barbecue à charbon de bois et faites griller les épis de 30 à 40 min à température moyenne à élevée, en le retournant toutes les 5 min. Retirez délicatement l'aluminium et les enveloppes avant de servir.

Voir variantes p. 250

Salade de chou cru à l'espagnole

Pour 6 personnes

Cette salade se révèle à la fois plus piquante et plus légère que la salade de chou cru classique, car la mayonnaise y est remplacée par une vinaigrette.

600 g de chou vert émincé
120 g de chou rouge émincé
50 g de poivron rouge ou de piment coupés en dés
4 c. à s. de poivron vert coupé en dés
5 c. à s. de vinaigre de vin blanc
4 c. à s. d'huile végétale
3 c. à s. d'oignon finement haché
2 c. à s. de sucre en poudre
1 c. à c. de sel de céleri
1 c. à c. de moutarde sèche
Sel de mer et poivre noir du moulin

Mélangez les deux choux et le poivron ou le piment dans un grand saladier.
Mettez le reste des ingrédients dans un petit bocal muni d'un couvercle. Vissez et secouez bien. Versez cette vinaigrette dans le saladier au moment de servir et mélangez.

Voir variantes p. 251

Pain à l'ail

Pour 4 personnes

Une autre façon de confectionner du pain à l'ail au barbecue consiste à le griller environ 2 min entier et non beurré, puis à le tartiner d'un mélange à base de beurre avant de le faire griller 1 à 2 min supplémentaires puis de le servir coupé en tranches de 5 cm.

1 pain ciabatta ou 1 baguette
120 g de beurre ramolli
2 grosses gousses d'ail écrasées
1 c. à c. de persil séché
1/4 de c. à c. d'origan séché
1/4 de c. à c. d'aneth séché
Parmesan fraîchement râpé
Persil grossièrement ciselé

Coupez le pain en tranches de 2,5 cm (1 po) sans les détacher entièrement. Mélangez le beurre, l'ail, le persil, l'origan et l'aneth. Étalez cette préparation sur les deux faces des tranches de pain.
Disposez le pain reformé sur une grande feuille d'aluminium. Refermez celle-ci autour du pain, en tordant les extrémités pour les fermer mais en laissant une ouverture sur le dessus. Saupoudrez généreusement de parmesan et de persil.
Préchauffez le barbecue, disposez le pain sur le gril, éloigné de la source de chaleur, et laissez cuire de 30 min à 1 h, jusqu'à ce qu'il soit légèrement grillé. Ajustez le temps de cuisson en fonction de la température.

Voir variantes p. 252

Gratin de haricots verts

Pour 4 personnes

Ce délicieux plat cuit au four est idéal pour un repas d'été, en garniture d'une viande ou d'un poisson grillés.

500 g de haricots verts frais ou surgelés
2 c. à s. de beurre
3 c. à s. de farine
25 cl (1 tasse) de lait
120 g de cheddar affiné râpé
1 c. à s. de moutarde
½ c. à c. de sel
Poivre noir du moulin
4 c. à s. de chapelure mélangée avec 1 c. à s. de beurre fondu

Équeutez les haricots et faites-les cuire à l'eau salée. Égouttez-les en réservant 12 cl (½ tasse) de l'eau de cuisson.
Faites fondre le beurre dans une casserole, ajoutez la farine et mélangez. Versez peu à peu le lait et laissez épaissir à feu doux sans cesser de remuer. Ajoutez le cheddar, la moutarde et l'eau de cuisson réservée. Remuez jusqu'à ce que le fromage fonde. Salez et poivrez.
Alternez les couches de haricots verts et de sauce dans un plat beurré allant au four, puis garnissez de chapelure au beurre. Enfournez 30 min à 180 °C (th. 6) (360 °F) et servez chaud.

Voir variantes p. 253

Haricots en cocotte au lard

Pour 4 personnes

Ce plat traditionnel américain accompagne agréablement n'importe quel repas.

500 g de lard fumé coupé en lamelles
1 oignon pelé et haché
1 poivron vert haché
2 boîtes de haricots blancs à la tomate et aux saucisses de porc
25 cl (1 tasse) de sauce barbecue
200 g de cassonade

Faites frire le lard dans une grande poêle jusqu'à ce qu'il soit croustillant. Égouttez-le sur du papier absorbant. Faites revenir l'oignon et le poivron vert dans la graisse restée dans la poêle jusqu'à ce qu'ils soient tendres. Égouttez l'excès de graisse.
Mettez les haricots dans une cocotte avec le lard, l'oignon, le poivron, la sauce barbecue et la cassonade. Mélangez et enfournez 45 min à 180 °C (th. 6) (360 °F).
Servez chaud ou tiède.

Voir variantes p. 254

Haricots bicolores à la caribéenne

Pour 6 personnes

Des haricots marbrés de rose bien fondants constituent un plat réconfortant, tout en permettant d'utiliser des restes de viande grillée.

2 c. à s. d'huile d'olive
2 oignons d'Espagne hachés
1 poivron rouge haché
2 gousses d'ail écrasées
500 g de haricots secs bicolores rincés et nettoyés
12 cl (½ tasse) d'eau
2 c. à c. de sel
2 c. à c. de poivre noir du moulin
1 c. à c. de quatre-épices
350 g de porc cuit au barbecue
25 cl (1 tasse) de sauce barbecue

Chauffez l'huile sur feu moyen à vif dans une poêle à fond épais. Faites revenir les oignons, le poivron et l'ail 5 min. Ajoutez les haricots et l'eau. Portez à ébullition, puis réduisez le feu et laissez mijoter en mélangeant de temps à autre et en veillant à ce que les ingrédients ne brûlent pas.

Les haricots doivent être cuits au bout de 30 à 45 min. Salez, poivrez et saupoudrez de quatre-épices. Ajoutez la viande et la sauce barbecue, mélangez. Laissez mijoter 10 min, jusqu'à ce que les haricots soient devenus tendres et fondants.

Voir variantes p. 255

Papillote de pommes de terre à l'ail et à l'aneth

Pour 6 personnes

Les pommes de terre au barbecue, un classique qui frise la banalité, connaissent ici une nouvelle vie.

6 grosses pommes de terre pelées et coupées en rondelles
1 oignon coupé en deux puis émincé
3 gousses d'ail écrasées
1 c. à s. d'aneth ciselé
40 g de beurre doux
120 g de cheddar râpé
Sel de mer
Poivre noir du moulin

Préchauffez le barbecue. Disposez les pommes de terre sur une grande feuille d'aluminium épais, répartissez dessus l'oignon, l'ail, l'aneth et le beurre. Refermez le papier d'aluminium et posez-le sur le gril.
Faites cuire 20 min à température élevée, en retournant la papillote une fois en cours de cuisson.
Ouvrez la papillote au bout de 15 min et saupoudrez les pommes de terre de cheddar. Refermez et terminez la cuisson. Salez et poivrez avant de servir.

Voir variantes p. 256

Salade de chou cru à la crème

Pour 6 personnes

La salade de chou est un accompagnement populaire depuis la Rome antique. Cette version est particulièrement appétissante grâce à la présence de chou rouge, qui colore joliment le plat.

25 cl (1 tasse) de mayonnaise
3 c. à s. de sucre en poudre
2 c. à s. de vinaigre de vin blanc
5 c. à s. d'huile végétale
¼ de c. à c. d'oignon semoule
¼ de c. à c. de moutarde sèche
¼ de c. à c. de sel de céleri
1 c. à s. de jus de citron
12 cl (½ tasse) de crème fraîche
Sel de mer
Poivre noir du moulin
500 g de chou vert finement émincé
50 g de chou rouge finement émincé
½ oignon pelé et haché
1 branche de céleri finement émincée
1 carotte râpée

Mélangez la mayonnaise, le sucre, le vinaigre et l'huile. Ajoutez l'oignon semoule, la moutarde sèche, le sel de céleri, le jus de citron et la crème. Salez et poivrez. Fouettez jusqu'à obtenir une sauce lisse.
Versez cette sauce sur les choux émincés, l'oignon, le céleri et la carotte dans un grand saladier. Mélangez de façon à bien enrober les légumes et placez au réfrigérateur jusqu'au moment de servir.

Voir variantes p. 257

Variantes

Salade de pommes de terre au concombre et à l'aneth

Recette de base p. 231

Salade de pommes de terre nouvelles au jambon
Utilisez des pommes de terre nouvelles, assaisonnées de la façon suivante : mélangez 12 cl (1/2 tasse) d'huile, 6 cl (4 c. à s.) de vinaigre de cidre, 6 cl (4 c. à s.) de moutarde créole, 6 cl (4 c. à s.) de moutarde de Dijon, 2 c. à s. de sauce Worcestershire, 1/2 c. à c. de poivre de Cayenne, 80 g de jambon haché, 80 g d'oignon coupé en dés et 80 g de céleri haché.

Salade de pommes de terre au bleu et aux noix
Assaisonnez les pommes de terre à chair rose de la façon suivante : mélangez 50 g de noix grillées hachées, 4 c. à s. de lait, 4 c. à s. de persil ciselé, 4 c. à s. de bleu émietté, 25 cl (1 tasse) de crème aigre, 1 c. à s. de sucre en poudre et 1/2 c. à c. de moutarde sèche.

Salade de pommes de terre à la sicilienne
Assaisonnez les pommes de terre à chair rose de la façon suivante : 4 c. à s. de vinaigre de vin rouge, 4 c. à s. de persil plat ciselé, 4 c. à s. d'olives noires hachées, 4 c. à s. de câpres égouttées, 20 cl (3/4 tasse) d'huile d'olive vierge extra, 2 c. à s. d'origan ciselé, 1 c. à s. d'anchois hachés, 1 c. à s. d'ail haché et 1 pincée de piment en poudre.

Salade de pommes de terre sauce épicée au fromage
Remplacez la vinaigrette, l'aneth et le concombre par 5 tranches de bacon cuites et émiettées, 150 g de fromage frais, 1 c. à s. de sauce épicée, 80 g de ciboules émincées, 80 g de relish douce et 1/4 de poivron vert haché.

Variantes

Salade de pommes de terre pique-nique

Recette de base p. 232

Salade de pommes de terre à l'américaine
Remplacez le céleri, les dés de concombre et la ciboule par 2 c. à s. de persil ciselé.

Salade de pommes de terre aux piments jalapeños
Remplacez la vinaigrette par celle-ci : fouettez 12 cl (½ tasse) d'huile d'olive vierge extra, 2 c. à s. de mayonnaise et 2 c. à s. de moutarde de Dijon. Ajoutez à la salade 4 c. à s. de ciboule émincée, 4 c. à s. de feta émiettée, 2 piments frais épépinés et finement hachés, 2 c. à s. de vinaigre de vin blanc et 2 gousses d'ail écrasées.

Salade de patates douces à la pomme
Remplacez les pommes de terre par des patates douces. Supprimez le céleri, le concombre et la ciboule. Remplacez la vinaigrette par celle-ci : mélangez 1 pomme épépinée et coupée en dés, 50 g de noix de pécan hachées, 6 cl (4 c. à s.) de crème aigre, 6 cl (4 c. à s.) de mayonnaise, 1 c. à c. de zeste de citron râpé, 2 c. à s. de jus de citron, 2 c. à s. de miel et ¼ de c. à c. d'estragon séché.

Salade de pommes de terre à la jamaïcaine
Supprimez les dés de concombre. Remplacez-les par 4 tranches de bacon cuites et émiettées, 25 cl (1 tasse) de mayonnaise, 1 c. à s. de moutarde sèche, 1 c. à s. de thym, ½ c. à c. de quatre-épices, ½ c. à c. de curcuma, 1 pincée de poivre de Cayenne, 6 cornichons coupés en rondelles, 4 c. à s. de céleri haché, 4 c. à s. d'oignon haché et 2 c. à c. de sauce pimentée.

Variantes

Épis de maïs grillés

Recette de base p. 235

Épis de maïs grillés à l'italienne

Remplacez le beurre, le piment, l'oignon, le sel et le poivre par le mélange suivant : 6 cl (4 c. à s.) d'huile d'olive, 1 c. à c. d'assaisonnement à l'italienne, du sel et du poivre noir concassé.

Épis de maïs grillés au beurre piment-citron vert

Supprimez le beurre, le piment, le sel et le poivre. Préparez un beurre aromatisé : mélangez 50 g de beurre doux ramolli, le zeste râpé de 1 citron vert, 1 piment rouge frais haché et du sel. Placez au réfrigérateur. Faites griller les épis selon la recette de base, et servez-les surmontés d'une rondelle de beurre aromatisé qui fondra sur le maïs.

Épis de maïs grillés à la cajun

Suivez la recette de base. Roulez les épis grillés dans une marinade sèche : mélangez 1 c. à c. d'origan, 1 c. à c. de paprika, 3/4 de c. à c. d'ail écrasé, 3/4 de c. à c. d'oignon semoule, 1/2 c. à c. de sel, 1/4 de c. à c. de thym séché, 1/4 de c. à c. de poivre noir et 2 pincées de poivre de Cayenne.

Épis de maïs grillés au beurre aromatisé au vin rouge

Suivez la recette de base, sans envelopper les épis dans de l'aluminium. Badigeonnez-les en cours de cuisson d'un mélange composé de 70 g de beurre fondu et 12 cl (1/2 tasse) de vin rouge.

Épis de maïs grillés au cumin

Suivez la recette de base, en remplaçant le piment en poudre et le sel par 1 1/2 c. à c. de cumin en poudre, 1/2 c. à c. de sel et 1/2 c. à c. de curcuma.

Variantes

Salade de chou cru à l'espagnole

Recette de base p. 236

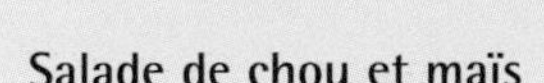

Salade de chou et maïs

Supprimez le sel de céleri et la moutarde sèche. À la recette de base, ajoutez 350 g de maïs doux, 1 oignon rouge finement émincé, 1/4 de poivron jaune épépiné et haché, 1 à 2 c. à s. de piment rouge frais épépiné et haché, 4 c. à s. de sucre en poudre, 5 c. à s. de vinaigre de vin blanc, 5 c. à s. d'huile végétale et 1/2 c. à c. de poivre noir du moulin.

Salade de chou cru à la vanille

Remplacez le chou vert par des feuilles de chou chinois. À la place des poivrons, utilisez 220 g de tiges de brocoli crues hachées et 220 g de carottes râpées. Remplacez la moutarde et le sel de céleri de la sauce par 80 g de sucre en poudre, 2 c. à c. d'extrait de vanille, 1/2 c. à c. de gingembre en poudre et 1/4 de c. à c. de poivre de Cayenne.

Salade de mangue

Remplacez le chou et les poivrons par 1 mangue et 1 poivron rouge pelés et coupés en julienne, et 1 piment rouge frais épépiné et haché. Remplacez le sel de céleri, le vinaigre et la moutarde de la sauce par le jus de 2 citrons verts, 2 c. à s. de coriandre ciselée et 2 c. à s. de persil.

Salade de chou comme en Caroline

Remplacez les poivrons par 1/2 oignon finement émincé et 2 carottes râpées. À la place de la sauce, mélangez dans une casserole 80 g de sucre en poudre, 1 c. à c. de sel, 8 cl (5 c. à s.) d'huile végétale, 1 c. à c. de graines de céleri et 16 cl (2/3 tasse) de vinaigre de cidre. Portez à ébullition, laissez refroidir et versez sur la salade.

Variantes

Pain à l'ail

Recette de base p. 239

Pain à l'ail et au persil
Remplacez l'origan et l'aneth par 2 c. à s. supplémentaires de persil séché et 1/4 de c. à c. de paprika (facultatif).

Pain à l'ail et à la mozzarella
Remplacez le persil, l'origan, l'aneth et le parmesan par 1 c. à c. de sauce Worcestershire et 220 g de mozzarella coupée en lamelles.

Pain à l'ail et au parmesan
Remplacez le beurre, le persil, l'origan et l'aneth par un mélange composé de 4 c. à s. d'huile d'olive, 2 grosses gousses d'ail écrasées supplémentaires, 15 cl (10 c. à s.) de mayonnaise et 150 g de parmesan fraîchement râpé. Supprimez le parmesan de la recette de base.

Pain à l'ail du chef
Remplacez le beurre, le persil, l'origan et l'aneth par un mélange composé de 12 cl (1/2 tasse) de mayonnaise, 1 c. à s. de parmesan râpé, 1/4 de c. à c. de basilic séché, 1/4 de c. à c. de sel assaisonné et 50 g de cheddar râpé.

Pain à l'ail à la gremolata
Remplacez l'origan et l'aneth par 1 1/2 c. à c. de zeste de citron râpé. Faites passer la quantité de persil séché dans le beurre aromatisé à 2 c. à c.

Variantes

Gratin de haricots verts

Recette de base p. 240

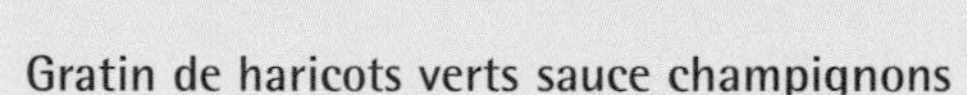

Gratin de haricots verts sauce champignons
Remplacez la sauce au cheddar par 1 boîte de 300 g de soupe aux champignons à la crème. Garnissez le plat de 150 g d'oignons séchés à la place de la chapelure.

Gratin de haricots verts à la crème
Remplacez la sauce au cheddar par celle-ci : mélangez 220 g de fromage frais à température ambiante, 12 cl (½ tasse) de lait, 2 c. à s. de vinaigrette de style ranch, ¼ de c. à c. de poivre blanc, 1 oignon haché, 2 gousses d'ail écrasées, 80 g de champignons frais émincés et 40 g de chapelure.

Gratin de haricots verts des vacances
Remplacez la sauce au cheddar par celle-ci : mélangez 4 c. à s. de crème fraîche épaisse, 4 c. à s. de champignons émincés, 4 c. à s. de noix grillées, 4 c. à s. de ciboule grossièrement hachée et du sel d'ail. À la place de la chapelure, garnissez de 4 tranches de bacon cuites et émiettées.

Gratin de haricots verts aux tomates et à la mozzarella
Remplacez la sauce au cheddar par celle-ci : mélangez 2 tomates olivettes épépinées et coupées en dés, 220 g de mozzarella coupée en lamelles, ½ oignon finement haché, 12 cl (½ tasse) de crème fraîche épaisse et 12 cl (½ tasse) de crème aigre. Remplacez la chapelure par 30 g de chips à la crème aigre et à la ciboulette écrasées.

Variantes

Haricots en cocotte au lard

Recette de base p. 243

Haricots en cocotte à la pomme

Remplacez le lard, la cassonade, l'oignon, le poivron et la sauce barbecue par 25 cl (1 tasee) de jus de pomme, 1 c. à c. de sel, 1 c. à c. de moutarde sèche, 200 g de lard cuit et haché, 12 cl (½ tasse) de mélasse, 2 branches de céleri hachées et 2 pommes croquantes pelées, épépinées et hachées.

Haricots en cocotte à la pêche

Remplacez le lard et le poivron par une boîte de 400 g de pêches égouttées et hachées, 1 gros poivron rouge épépiné et émincé, 1 c. à c. de sel de mer et du poivre noir du moulin.

Haricots en cocotte à l'ananas et au bourbon

Remplacez la lard, la cassonade, l'oignon, le poivron et la sauce barbecue par 1 c. à c. de moutarde sèche, 2 c. à s. de sauce pimentée, 220 g d'ananas en conserve égoutté et écrasé, 2 c. à s. de mélasse, 4 c. à s. de bourbon de bonne qualité et ½ tasse de café serré.

Haricots en cocotte au cola

Remplacez le lard, l'oignon, le poivron, la cassonade et la sauce barbecue par une canette de 33 cl (1 ⅓ tasse) de cola.

Haricots en cocotte au cola à la cerise

Remplacez le lard, l'oignon, le poivron, la cassonade et la sauce barbecue par une canette de 33 cl (1 ⅓ tasse) de cola à la cerise. Ajoutez 50 g de cerises dénoyautées.

Variantes

Haricots bicolores à la caribéenne

Recette de base p. 244

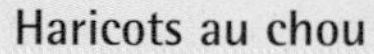

Haricots au chou

Suivez la recette de base, en remplaçant le poivron, le porc et la sauce barbecue par 450 g de saucisse fumée coupée en rondelles, 450 g de chou émincé et 1 c. à c. de piment en poudre.

Haricots Hard Rock Café

Suivez la recette de base, en remplaçant les légumes, l'huile, le porc, l'assaisonnement et la sauce par 2 c. à s. d'eau, 2 c. à s. de fécule de maïs, 12 cl (½ tasse) de ketchup, 4 c. à s. de vinaigre de vin blanc, 4 c. à s. de cassonade, 2 c. à s. d'oignon haché, 1 c. à c. de moutarde, ½ c. à c. de piment en poudre, ¼ de c. à c. de sel, ¼ de c. à c. de poivre noir du moulin et 80 g de lard cuit.

Haricots bicolores du cow-boy

Suivez la recette de base, en remplaçant le poivron et le porc par 1 c. à s. de piment en poudre, 12 cl (½ tasse) de ketchup, 2 c. à s. de moutarde blanche et quelques gouttes de Tabasco.

Haricots El Paso

Suivez la recette de base, en remplaçant le poivron, le porc et la sauce par 2 c. à s. de saindoux ou d'huile végétale, 5 tranches de lard cuites et hachées, 120 g de chorizo cuit et haché, 450 g de tomates pelées, épépinées et hachées, 6 piments rouges doux épépinés et hachés et 1 c. à c. de cumin en poudre.

Variantes

Papillote de pommes de terre à l'ail et à l'aneth

Recette de base p. 246

Papillote de pommes de terre aux champignons

Suivez la recette de base, en remplaçant l'oignon, le cheddar, l'ail, le beurre et l'aneth par 5 c. à s. de beurre doux fondu, 4 ciboules finement émincées et 80 g de champignons de Paris émincés.

Papillote de pommes de terre au poivron

Suivez la recette de base, en remplaçant le cheddar, l'ail, le beurre et l'aneth par 1 poivron vert épépiné et coupé en lanières, 4 c. à s. d'huile d'olive, 4 c. à s. de vinaigre balsamique et du poivre au citron.

Papillotes de pommes de terre aux oignons

Suivez la recette de base, en remplaçant le cheddar, l'ail, le beurre et l'aneth par 15 cl (10 c. à s.) d'huile d'olive, 1 c. à s. de moutarde de Dijon, 2 c. à s. de thym ciselé et 2 gros oignons rouges coupés en deux puis en rondelles de 1 cm d'épaisseur. Une fois les pommes de terre cuites, garnissez-les de brins de thym.

Papillote de pommes de terre à l'ail rôti et au maïs

Suivez la recette de base, en remplaçant l'oignon, le cheddar, l'ail et l'aneth par 340 g de maïs doux. Préparez une sauce en mélangeant 6 grosses gousses d'ail rôti, 4 c. à s. d'huile d'olive, 1 c. à s. de romarin ciselé, 1 c. à s. de vinaigre de vin blanc, 1 c. à s. de moutarde de Dijon et 2 ciboules finement émincées.

Variantes

Salade de chou cru à la crème

Recette de base p. 247

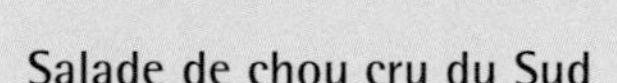

Salade de chou cru du Sud

Remplacez le chou rouge et la sauce par 1 poivron rouge épépiné et haché, 1 c. à c. de graines de céleri et 4 c. à s. de mayonnaise. Mélangez. Mettez 25 cl (1 tasse) d'eau, 3 c. à s. de vinaigre de vin blanc et 2 c. à s. de sucre en poudre dans une casserole, portez à ébullition et versez sur la salade.

Salade de chou cru au miel façon traiteur

Supprimez le chou rouge. Remplacez la sauce par celle-ci : mélangez 12 cl (½ tasse) de miel, 1 c. à c. de graines de céleri, 12 cl (½ tasse) de crème aigre et 12 cl (½ tasse) de mayonnaise.

Salade de chou cru à la crème piquante

Supprimez le chou rouge. Remplacez la sauce par celle-ci : mélangez 25 cl (1 tasse) de mayonnaise, 80 g de sucre en poudre, 6 cl (4 c. à s.) de vinaigre de vin blanc et ¼ de c. à c. de graines de céleri.

Salade de chou cru aux pommes et aux raisins secs

Remplacez le chou rouge et l'oignon par 4 pommes épépinées mais non pelées coupées en dés et 80 g de raisins secs. Remplacez la sauce par 35 cl (1 ⅓ tasse) de mayonnaise allégée.

Douceurs gourmandes

Toute une variété de douceurs peuvent être préparées sur le gril. Plusieurs recettes sont présentées ici, en compagnie de desserts réalisés de façon traditionnelle mais qui concluront divinement un repas au barbecue.

Tourte aux pêches

Pour 4 personnes

Sublimé par une boule de glace à la vanille maison (voir p. 272), ce dessert terminera en beauté un repas au barbecue.

6 pêches pelées et coupées en lamelles
100 g de sucre semoule
2 c. à s. de jus de citron
1 c. à c. de vanille
½ c. à c. de gingembre en poudre
¼ de c. à c. de noix muscade râpée
150 g de farine
50 g de sucre en poudre
1 ½ c. à c. de levure
½ c. à c. de bicarbonate de soude
¼ de c. à c. de sel
50 g de beurre doux coupé en parcelles
15 cl (10 c. à s.) de babeurre
Sucre semoule

Mélangez les six premiers ingrédients. Avec une cuillère, étalez cette préparation aux pêches dans un grand moule peu profond beurré. Couvrez d'une feuille de papier d'aluminium et enfournez à 200 °C (th. 6-7) (400 °F) pendant 15 min ou jusqu'à l'apparition de bulles.
Pendant ce temps, préparez le biscuit : mélangez la farine, le sucre en poudre, la levure, le bicarbonate de soude et le sel dans un saladier. Incorporez le beurre en travaillant le mélange pour obtenir de grosses miettes. Ajoutez le babeurre et mélangez.
Sortez le moule du four et découvrez-le. Répartissez de grosses cuillerées de pâte sur la préparation aux pêches. Saupoudrez d'un peu de sucre et poursuivez la cuisson à découvert, 30 min ou jusqu'à ce que la pâte soit dorée et qu'une lame enfoncée au centre ressorte propre. Servez tiède, accompagné de crème ou de glace.

Voir variantes p. 273

Papillotes de fruits d'été

Pour 4 personnes

La menthe fraîche ajoute une incomparable saveur aux fruits, notamment lorsque son parfum est rehaussé par du sucre et des agrumes. La prochaine fois que vous préparerez une salade de fruits, ajoutez de la menthe ciselée pour lui donner de la saveur.

2 pêches
250 g de fraises équeutées et lavées
250 g de cerises dénoyautées
2 kiwis pelés et coupés en rondelles
50 g de beurre doux
2 c. à s. de cassonade
Le zeste râpé et le jus d'une orange
4 brins de menthe

Mettez les pêches dans un saladier et couvrez-les d'eau bouillante. Égouttez-les au bout de 1 min, pelez-les et coupez-les en deux. Retirez le noyau et détaillez-les en lamelles. Mettez les fraises et les cerises dans un grand saladier avec les morceaux de pêche et de kiwi. Mélangez délicatement.

Découpez 4 grands carrés de papier d'aluminium épais. Répartissez les fruits dessus. Faites chauffer le beurre, la cassonade, le zeste et le jus d'orange dans une petite casserole sur feu moyen jusqu'à dissolution du sucre. Versez des cuillerées de cette préparation sur les fruits, puis garnissez chaque portion de 1 brin de menthe. Refermez soigneusement les papillotes. Faites-les cuire 10 min environ à température moyenne. Servez accompagné de crème fraîche ou de glace.

Voir variantes p. 274

STAINLESS
18/0 CHINA 29

Gâteau texan glacé au chocolat

Pour 6 personnes

Ce somptueux gâteau nappé d'un glaçage sucré figure parmi les classiques américains.

500 g de préparation pour gâteau au chocolat
25 cl (1 tasse) de babeurre
70 g de beurre doux fondu
2 gros œufs légèrement battus
1 c. à c. d'extrait de vanille

Pour le glaçage au chocolat
6 c. à s. de lait
4 c. à s. de cacao en poudre
120 g de beurre ramolli
450 g de sucre glace
1 c. à c. d'extrait de vanille
120 g de noix de pécan grillées et hachées

Battez les cinq premiers ingrédients au mixeur à puissance maximale pendant 2 min : la préparation doit être homogène. Versez dans un moule rectangulaire (33 x 23 x 5 cm) (13 po x 10 po x 2 po)) graissé et fariné. Enfournez de 15 à 20 min à 180 °C (th. 6) (350 °F), jusqu'à ce qu'une lame enfoncée au centre ressorte propre.
Pendant ce temps, préparez le glaçage. Mélangez le lait et le cacao en poudre dans une casserole à fond épais. Ajoutez le beurre et, sur feu moyen, tournez jusqu'à ce qu'il fonde. Retirez du feu et incorporez peu à peu le sucre glace et l'extrait de vanille pour obtenir un mélange lisse. Ajoutez les noix de pécan.
Sortez le moule du four et étalez uniformément le glaçage sur le gâteau encore chaud. Laissez refroidir avant de servir.

Voir variantes p. 275

Chaussons aux pommes de ma grand-mère

Pour 6 à 8 chaussons

Aucun chausson aux pommes ne rivalise avec ceux de ma grand-mère : voici la recette.

340 g de farine
1 c. à c. de sel
170 g de matière grasse végétale
1 œuf légèrement battu
1 c. à s. d'eau froide
1 c. à c. de vinaigre de vin blanc
600 g de compote de pommes avec morceaux

Mélangez la farine et le sel. Incorporez la matière grasse végétale à la fourchette de façon à obtenir de grosses miettes de pâte. Mélangez l'œuf battu et l'eau, ajoutez la préparation à base de farine. Versez le vinaigre et amalgamez tous les ingrédients. Formez une boule de pâte et enveloppez-la de film alimentaire. Laissez-la au moins 1 h au réfrigérateur. Étalez finement la pâte et découpez dedans des cercles de 7,5 cm (3 po). Répartissez la compote au centre des cercles. Refermez les cercles de pâte, humidifiez les bords et pressez pour les souder. Laissez les chaussons reposer quelques minutes avant de les faire frire. Vous disposez de deux méthodes pour cela : dans une friteuse, 3 ou 4 min à 190 °C (375 °F) ; ou dans une sauteuse électrique réglée sur 190 °C, 5 ou 6 min dans 1,5 cm (½ po) d'huile. Dans les deux cas, laissez frire les chaussons dans l'huile bouillante jusqu'à ce qu'ils soient dorés. Sortez-les de l'huile et égouttez-les. Saupoudrez les chaussons encore chauds de sucre glace ou de sucre à la cannelle.

Voir variantes p. 276

S'mores grillés

Pour 4 à 6 personnes

Cette version du dessert préféré des Américains, à déguster au coin du feu, enchantera les enfants à la fin d'un repas au barbecue. Son nom est la contraction de *some more*, « encore un peu » !

Galettes de maïs
1 pot de beurre de cacahouètes
1 sachet de pépites de chocolat
1 sachet de mini-marshmallows

Étalez du beurre de cacahouètes sur la moitié des galettes de maïs. Saupoudrez de pépites de chocolat et de mini marshmallows. Faites griller en même temps les galettes garnies et les galettes nature, 3 ou 4 min environ. Recouvrez chaque galette garnie d'une galette nature. Découpez en triangles et servez.
Vous pouvez également rouler les galettes garnies et les envelopper individuellement dans du papier d'aluminium, en enroulant celui-ci aux extrémités pour le fermer. Dans ce cas, placez-les sur le bord du feu ou au-dessus des braises jusqu'à ce qu'elles soient chaudes à cœur, puis sortez-les et dégustez.

Voir variantes p. 277

Ananas grillé à la mélasse et au citron vert

Pour 6 personnes

Un beurre sucré agrémente idéalement de tendres tranches d'ananas bien mûr.

1 ananas mûr pelé, extrémités et cœur retirés
Huile végétale
Sel
Poivre noir du moulin
4 c. à s. de mélasse
50 g de beurre
2 c. à s. de jus de citron vert

Découpez l'ananas en 6 tranches de 2,5 cm (1 po) d'épaisseur. Huilez-les légèrement sur les deux faces, salez et poivrez. Faites-les griller de 8 à 10 min sur feu moyen, jusqu'à ce qu'elles soient dorées. Retournez-les et faites-les dorer sur l'autre face.

Pendant ce temps, mettez la mélasse, le beurre et le jus de citron vert dans une petite casserole. Mélangez sur feu doux jusqu'à ce que le beurre ait fondu. Retirez les tranches d'ananas du gril, badigeonnez-les de préparation à la mélasse et servez aussitôt.

Voir variantes p. 278

Poires au vin sucré

Pour 6 personnes

Verser quelques cuillerées d'un sirop à base de vin sur les poires avant de les cuire au barbecue fait de ce dessert un véritable délice.

3 grosses poires
Le zeste râpé et le jus de 1/2 citron
4 c. à s. de sirop d'érable
1 c. à c. d'extrait de vanille
4 c. à s. de vin rouge
3 c. à s. de pistaches hachées

Pelez et épépinez les poires, coupez-les en deux. Découpez 6 carrés de papier d'aluminium épais et posez une moitié de poire sur chacun.
Mélangez le zeste et le jus de citron, le sirop d'érable l'extrait de vanille et le vin dans une petite casserole. Portez à ébullition, puis retirez du feu et versez quelques cuillerées de préparation sur chaque poire. Fermez soigneusement les papillotes.
Faites griller les poires de 5 à 8 min à température moyenne : elles doivent être chaudes et tendres, mais conserver leur forme. Ouvrez les papillotes et badigeonnez les poires du jus qui a coulé au fond. Saupoudrez de pistaches et servez.

Voir variantes p. 279

Pêches au bleu et au miel

Pour 6 personnes

Le bleu n'est pas chose courante dans un dessert, mais il apporte ici une touche fondante incomparable.

6 pêches mûres coupées en deux et dénoyautées
2 c. à s. d'huile végétale
4 c. à s. de bleu ou de mascarpone
4 c. à s. de miel liquide
Poivre noir du moulin
Feuilles de menthe

Huilez les faces coupées des pêches et rangez-les sur le gril préchauffé à température moyenne, face coupée vers le bas. Faites-les griller jusqu'à ce qu'elles soient caramélisées. Retournez-les et poursuivez la cuisson pour qu'elles ramollissent un peu, soit 1 ou 2 min. Disposez les pêches sur un plat, face coupée vers le haut, et garnissez le cœur d'une cuillerée de bleu. Arrosez de miel et poivrez selon votre goût. Présentez avec des feuilles de menthe.

Voir variantes p. 280

Glace à la vanille maison

Pour 4 à 6 personnes

Aucune glace industrielle ne peut rivaliser avec une glace maison. Celle-ci est tout particulièrement savoureuse et simple à confectionner : pas de crème à faire prendre, pas besoin de remuer sans cesse.

Avec une sorbetière

75 cl (3 tasses) de crème fraîche liquide
1 boîte de 400 g de lait concentré sucré
3 c. à c. d'extrait de vanille

Au congélateur

1 boîte de 400 g de lait concentré sucré
3 c. à c. d'extrait de vanille
50 cl de crème fraîche

Mélangez tous les ingrédients dans une sorbetière. Faites prendre selon le mode d'emploi de l'appareil, c'est-à-dire 40 min environ.

Vous pouvez également faire prendre la glace au congélateur. Pour cela, supprimez la crème liquide. Mélangez le lait concentré et la vanille dans une jatte. Incorporez 50 cl (2 tasses) de crème fraîche fouettée. Versez dans un récipient de dimensions suffisantes. Couvrez et mettez au congélateur pendant 6 h ou jusqu'à ce que la glace soit prise.

Voir variantes p. 281

Variantes

Tourte aux pêches

Recette de base p. 259

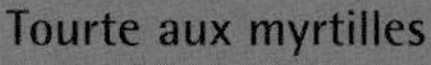

Tourte aux myrtilles

Remplacez les pêches et le jus de citron par 700 g de myrtilles, 100 g de sucre en poudre et 10 cl (1/3 tasse) d'eau. Remplacez le gingembre par 1 c. à s. de cannelle en poudre.

Tourte aux pêches et aux fruits rouges

Réduisez à 3 le nombre de pêches. Supprimez le jus de citron et le gingembre. Ajoutez 400 g de fruits rouges et 200 g de sucre en poudre.

Tourte aux mûres

Remplacez les pêches et le jus de citron par 700 g de mûres, 100 g de sucre en poudre, 3 c. à s. de fécule de maïs et 2 c. à s. de beurre doux.

Tourte aux griottes

Remplacez les pêches et le gingembre par 400 g de griottes dénoyautées, 12 cl (1/2 tasse) d'eau, 150 g de sucre en poudre et 1 c. à s. de fécule de maïs .

Variantes

Papillotes de fruits d'été

Recette de base p. 260

Papillotes de fruits d'été au kirsch
Suivez la recette de base, en ajoutant 1 c. à s. de kirsch dans chaque papillote.

Papillotes de fruits de la forêt
Suivez la recette de base, en remplaçant les pêches et les kiwis par 220 g de framboises et 220 g de myrtilles.

Papillotes de fruits exotiques
Suivez la recette de base, en remplaçant les pêches, les fraises et les cerises par 220 g de morceaux d'ananas et 220 g de morceaux de papaye.

Papillotes de fruits d'été au vin blanc
Suivez la recette de base, en ajoutant 1 c. à s. de vin blanc dans chaque papillote.

Variantes

Gâteau texan glacé au chocolat

Recette de base p. 263

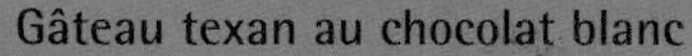

Gâteau texan au chocolat blanc

Remplacez la préparation pour gâteau au chocolat par une préparation pour gâteau au chocolat blanc.

Gâteau texan des paresseuses, glacé au babeurre

Suivez la recette de base, en remplaçant le glaçage par un autre réalisé avec 15 cl (10 c. à s.) de cassonade et 3 c. à s. de babeurre. Décorez de 15 cl (10 c. à s.) de noix de pécan grillées et hachées.

Gâteau texan à la carotte glacé au fromage frais

Remplacez la préparation pour gâteau au chocolat par une préparation pour gâteau à la carotte. Préparez un glaçage au fromage frais en mélangeant 50 g de beurre mou, 300 g de fromage frais et ½ c. à c. d'extrait de vanille.

Gâteau texan au chocolat glacé choco-coco

Préparez le glaçage comme dans la recette de base, en ajoutant aux ingrédients 125 g de copeaux de noix de coco grillés.

Variantes

Chaussons aux pommes de ma grand-mère

Recette de base p. 264

Chaussons aux pêches
Suivez la recette de base, en remplaçant la compote par 700 g de pêches en conserve.

Chaussons aux cerises noires
Suivez la recette de base, en remplaçant la compote par 700 g de cerises noires dénoyautées en conserve.

Chaussons aux myrtilles
Suivez la recette de base, en remplaçant la compote par 700 g de myrtilles.

Chaussons aux pommes et aux raisins secs
Suivez la recette de base, en ajoutant 2 c. à s. de raisins secs de Smyrne, 2 c. à s. de raisins secs de Corinthe, 1 c. à c. de cannelle en poudre et 1 c. à c. de zeste râpé de citron dans la compote.

Chaussons aux fruits séchés
Suivez la recette de base, en remplaçant la compote par 500 g de mélange de fruits séchés : pommes, abricots, poires ou pêches par exemple.

Variantes

S'mores grillés

Recette de base p. 267

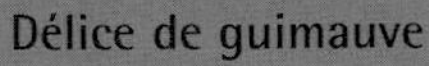

Délice de guimauve
Remplacez les pépites de chocolat et les marshmallows par 220 g de crème de guimauve.

Croustillant à la cannelle
Remplacez le beurre de cacahouètes, les pépites de chocolat et les marshmallows par un fourrage à la cannelle : mélangez 220 g de beurre fondu, 50 g de sucre en poudre et 1 c. à s. de cannelle en poudre. Ne recouvrez pas les galettes garnies de galettes nature.

Galette gorgonzola-mascarpone
Remplacez le beurre de cacahouètes, les pépites de chocolat et les marshmallows par 220 g de mascarpone, 120 g de gorgonzola émietté et 80 g de myrtilles. Ne recouvrez pas les galettes garnies de galettes nature.

Tortillas aux Snickers
Remplacez le beurre de cacahouètes, les marshmallows et les pépites de chocolat par 120 g de chocolat aux amandes en tablette, 3 grandes barres de Snickers hachées et 120 g de noix de coco séchée sucrée.

Variantes

Ananas grillé à la mélasse et au citron vert

Recette de base p. 268

Ananas grillé au miel

Suivez la recette de base, en remplaçant la mélasse, le beurre et le jus de citron vert par un mélange composé de 6 cl (4 c. à s.) de miel, 2 c. à s. de liqueur de cerise et 1 c. à s. de jus de citron.

Ananas grillé au curry

Supprimez la mélasse, le beurre et le jus de citron vert. Frottez l'ananas d'un mélange composé de 50 g de cassonade et ½ c. à c. de curry, puis faites-le griller selon la recette de base. Versez 12 cl (½ tasse) de yaourt nature sur l'ananas grillé et décorez de 3 c. à s. de noix de coco séchée grillée.

Piña colada grillée

Supprimez la mélasse, le beurre et le jus de citron vert. Faites griller l'ananas selon la recette de base, puis nappez-le de la sauce suivante : mélangez 6 cl (½ tasse) de lait de coco, 1 c. à s. de rhum léger, 50 g de sucre en poudre et 1 c. à s. de cannelle en poudre.

Ananas grillé au rhum

Supprimez la mélasse et le citron vert. Parfumez le beurre fondu de 50 g de cassonade, 2 c. à s. de rhum brun, 1 c. à s. de cannelle en poudre, ½ c. à c. de gingembre en poudre, ½ c. à c. de noix muscade râpée et ½ c. à c. de girofle. Faites griller l'ananas selon la recette de base.

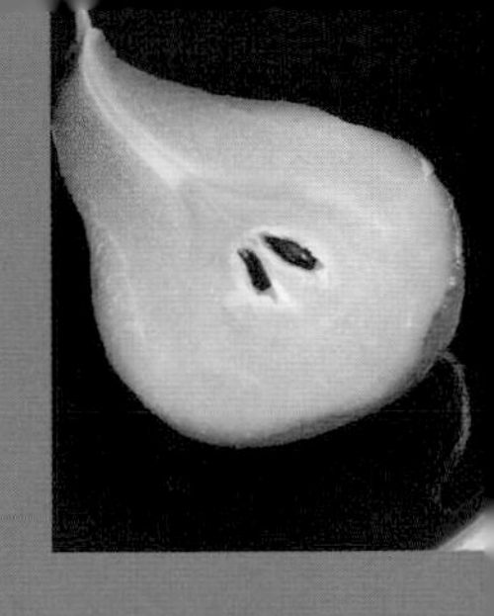

Variantes

Poires au vin sucré

Recette de base p. 269

Poires au vin blanc
Suivez la recette de base, en remplaçant le vin rouge par du vin blanc.

Poires au cognac
Suivez la recette de base, en remplaçant le vin rouge par du cognac.

Poires à la sauce au chocolat
Suivez la recette de base, en remplaçant le vin rouge par 50 g de pépites de chocolat réparties dans les 6 papillotes.

Poires à la marocaine
Suivez la recette de base, en supprimant le vin et en ajoutant 2 gouttes d'eau de fleur d'oranger et 2 gouttes d'eau de rose dans chaque papillote.

Variantes

Pêches au bleu et au miel

Recette de base p. 270

Pêches au fromage frais
Suivez la recette de base, en remplaçant le fromage et le poivre par 2 c. à s. de miel et 220 g de fromage frais.

Pêches au miel et à la cannelle
Suivez la recette de base, en remplaçant le fromage et le poivre par 4 c. à s. supplémentaires de miel et 2 c. à s. de cannelle en poudre.

Pêches à la purée de framboises
Supprimez le fromage, le miel et le poivre. Faites griller les pêches selon la recette de base, en les badigeonnant régulièrement du glaçage suivant : mélangez 2 c. à s. de cassonade, ¼ de c. à c. de cannelle en poudre, 2 c. à c. de rhum brun et 2 c. à c. de beurre doux fondu. Servez les pêches grillées accompagnées d'une sauce composée de 12 cl d (½ tasse) de confiture de framboises sans pépins et 2 c. à c. de jus de citron.

Pêches au vinaigre balsamique
Supprimez le fromage et le miel. Badigeonnez les pêches d'un glaçage réalisé avec 12 cl (½ tasse) de vinaigre balsamique et 3 c. à s. de cassonade. Faites-les griller selon la recette de base.

Variantes

Glace à la vanille maison

Recette de base p. 272

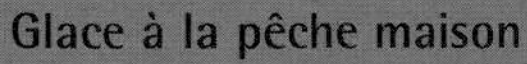

Glace à la pêche maison
Supprimez 2 c. à c. d'extrait de vanille. Suivez la recette de base, en aromatisant la glace avec 50 cl (2 tasses) de purée de pêches, 1 c. à c. d'extrait d'amande et quelques gouttes de colorants jaune et rouge avant de la faire prendre.

Glace à la fraise maison
Supprimez 2 c. à c. d'extrait de vanille. Suivez la recette de base, en aromatisant la glace avec 50 cl (2 tasses) de purée de fraises et quelques gouttes de colorant rouge avant de la faire prendre.

Glace à la banane maison
Supprimez 2 c. à c. d'extrait de vanille. Suivez la recette de base, en mélangeant 4 bananes moyennes mûres à la glace avant de la faire prendre.

Glace au chocolat maison
Suivez la recette de base, en remplaçant le sucre, la crème liquide et l'extrait de vanille par 15 cl (10 c. à s.) de sauce au chocolat et 50 cl (2 tasses) de crème fraîche épaisse.

Index

E

Q

R

V

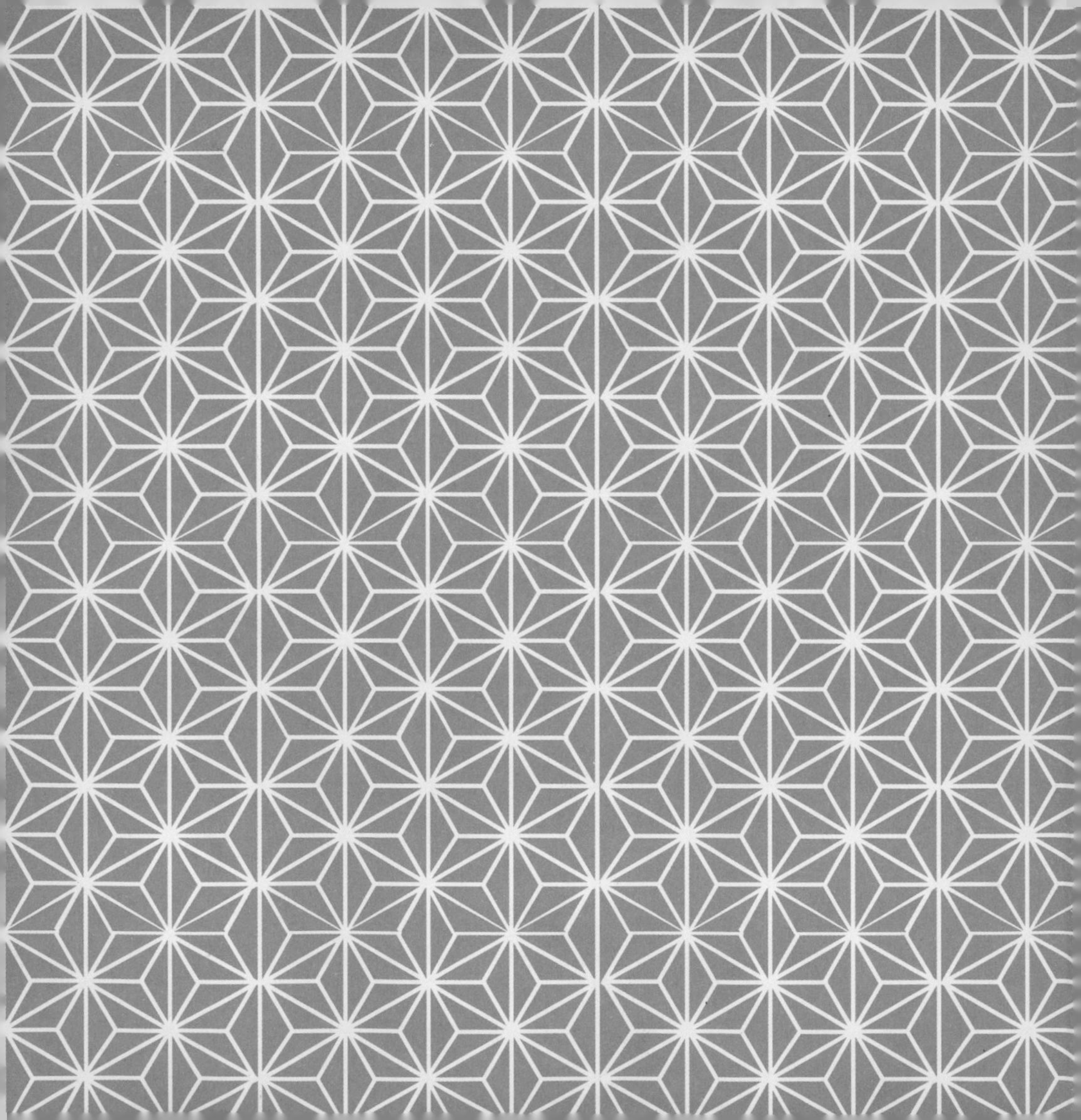